빛나는 순간

영화 편지

차례

우리에게 찾아온 ‹빛나는 순간›

명필름은 지난 2015년부터 신진영화인들을 발굴, 육성하자는 취지의 제작 시스템인 '명필름랩'을 운영하고 있다. 창립 이후 25년간 40편이 넘는 영화를 제작해오면서 많은 영화들을 함께 만든 영화 장인들의 경험과 의식을 젊은 예비 영화인들에게 나누고자 하는 마음으로 시작했다.

파주에 영화관과 공연장 및 카페 등이 들어선 명필름 아트센터와 사옥을 마련한 명필름은 이 공간을 터전으로 명필름랩 운영을 이어가고 있으며 지난 2월, 7기 합격자를 낸 바 있다. ‹눈발› ‹환절기› ‹박화영› ‹수퍼 디스코› ‹국도극장› 등이 지난 6년간 명필름랩 이름으로 탄생한 영화들이다. 조재민, 이동은, 이환, 이주호, 전지희 감독이 그 주인공들이며 여기에 제작, 촬영, 편집, 사운드, 연기, 시나리오 전공자들이 이 영화들을 함께 만들었다.

명필름랩의 영화들은 학교폭력에 내몰린 10대 소녀, 소년(눈발), 성소수자 아들과 어머니의 이야기(환절기), 학교와 집 그 어디에도 속하지 못한 가출 청소년들(박화영), 인디밴드의 생존기(수퍼 디스코) 등 대중영화의 품에 쉽게 담기엔 모험적인 주제들이 대부분이다. 젊은 신진 영화인들의 패기와 문제의식이 만들어 낸 결과인 셈이기도 하다.

5기로 입학한 소준문 감독은 명필름랩에 들어오기 전 ‹올드 랭 사인› ‹알이씨REC› ‹연지› 등 성소수자이자 우리 사회 약자들의 이야기를 솔직하고도 남다른 시선으로 그려낸 감독이다. 이미 10여년간 장, 단편 영화를 만들었고 현장 영화인으로 활동한 바 있다. 그런 그가 명필름랩에 입학고로 제출한 시나리오는 다소 평이한 로맨스물이었다. 전작들을 알고 있는 입장에서 다소 의아했으나 결국 그가 만들고자 최종적으로 희망한 시나리오는

‹빛나는 순간›이라는 제목의 제주 해녀 이야기였다.

평생 물질을 하며 가족의 생계를 꾸려온 70대 해녀 진옥이 서울에서 내려온 갓 서른쯤의 다큐멘터리 PD 청년을 만나 자신의 삶을 돌아보고 뜨거운 사랑까지 나누게 된다는 이야기. 소준문 감독다운 파격이었다. 여기서 '파격'이란 우리 사회의 일반적 도덕률의 잣대로 바라보는 시선일 것이다.

예컨대 나이 많은 남성과 젊은 여성의 이성애 관계에 대해선 무덤덤하다가 나이 많은 여성과 젊은 남성의 관계는 드물고, 납득하기 어려운 것이라고 보는 시선 말이다. 영화 시나리오 속 남자주인공의 선배는 해녀 진옥과의 관계를 알아채곤 "역겹다"란 말로 비난한다. 그 신은 사회 일반의 시선을 단번에 말해주는 것이기도 하고, 낯선 섬에서 강렬한 사랑의 감정을 느낀 주인공 청년에게 꽂히는 상처이기도 하다. 일찍이 소준문 감독은 부산국제영화제와 끌레르몽 페랑 단편 영화제 등에 초청되어 호평 받은 ‹올드 랭 사인›을 통해 "사랑은 누구에게나 평등한 감정"이라고 말한 바 있다.

처음 이 시나리오를 읽은 우리들은 이 이야기의 주인공인 제주 해녀의 삶의 질곡과 그럼에도 생을 긍정하는 생명력에 감동받았고, 선입견 없이 그녀의 사랑 이야기에 공감하였다. 소준문 감독다운 시선이며 명필름랩에서 만들어야 할 영화라는데 이견이 없었다. 거듭 수정과 퇴고를 거쳐 시나리오가 최종 완성되고 제작비 규모와 형식이 결정되면서 이 영화는 명필름과 명필름랩, 웬에버스튜디오가 함께 하는 것으로 결정되었다.

무엇보다 강인하고 독립적인 여성으로서의 해녀의 모습이 강렬하게 다가왔고 제주의 풍광이 선사할 아름다움이 먼저

기대되었다. '파격적인 사랑 이야기'라고 표현될 수 있는 늙은 해녀와 젊은 청년의 관계는 제주 해녀의 삶 속에 자연스레 품어졌다. 각자의 '빛나는 순간'을 확인하는 이야기 속에 서로를 이해하고 위로함으로써 관객에게 감동의 순간을 전할 수 있다면 제작의도가 완벽하게 성취될 수 있겠다는 생각을 했다.

이 영화의 남녀간 사랑 이야기를 압도하는 내용은 해녀의 삶을 본격적으로 다룬다는 점이다. 제주 해녀문화는 '안전과 풍어를 위한 의식, 선배가 후배에게 전하는 잠수기술과 책임감, 공동작업을 통해 거둔 이익으로 사회적 응집력을 높이는 모든 활동 모두가 무형 유산으로서의 가치가 있다'는 이유로 2016년 세계 유네스코 인류 무형 문화유산으로 등재되었다. 전 인류적으로 보존할 가치가 있는 중요한 문화라고 인정 받은 것이다.

'좀년 애개 나뒹 사흘이믄 물에 든다' (해녀는 아기 낳고 3일이면 물에 든다)는 가족의 목숨줄 같은 물질을 평생 해온 해녀 진옥이 바다와 육지를 나누는 경계의 소리이자 자신의 숨을 넘어서 바다의 숨을 이해하고 받아들이는 '숨비소리'를 낼 때의 얼굴은 제주 해녀의 모습 그 자체였다.

쉽지 않은 주제를 시나리오화하고 연출한 소준문 감독과 제주에서 삶을 꾸리고 있는 하명미 프로듀서, 흔쾌히 이 영화의 주인공은 본인이어야 함을 자임한 제주 출신의 대배우 고두심 선생과 선뜻 용기를 내어 따뜻하고 섬세한 마음의 청년 역을 해낸 지현우 배우를 비롯 많은 스태프들과 연기자들의 헌신이 있었다. 변덕 많고 심술궂게 굴다가 끝내는 하늘과 바다의 절경과 반짝이는 햇살을 선사했던 제주도는 또 다른 주인공이었다.

영화 ‹빛나는 순간›은 영화진흥위원회 독립예술영화

제작지원작이자 제주 영상 문화산업진흥원 제주다양성영화 지원작으로 선정된 바 있다. 지난해 부산국제영화제에 초청되고 제주영화제 개막작으로 선정돼 미리 소수의 관객을 만난 경험을 했으나, 이제 더 많은 영화관에서 더 많은 관객을 만날 수 있기를 소망한다. 이 책은 그 소망의 첫 결실이기도 하다. 흔쾌히 메이킹북을 함께해 준 플레인아카이브 백준오 대표와 임유청 편집자께도 감사하다.

마지막으로 온몸으로 삶을 살아내는 사람들, 세상의 편견에 맞서 스스로의 존엄을 지키는 생명력 넘치는 사람들의 아름다움이 이 영화를 기다리는 이들에게 제대로 전달되기를 바라는 마음이다.

명필름 심재명 대표

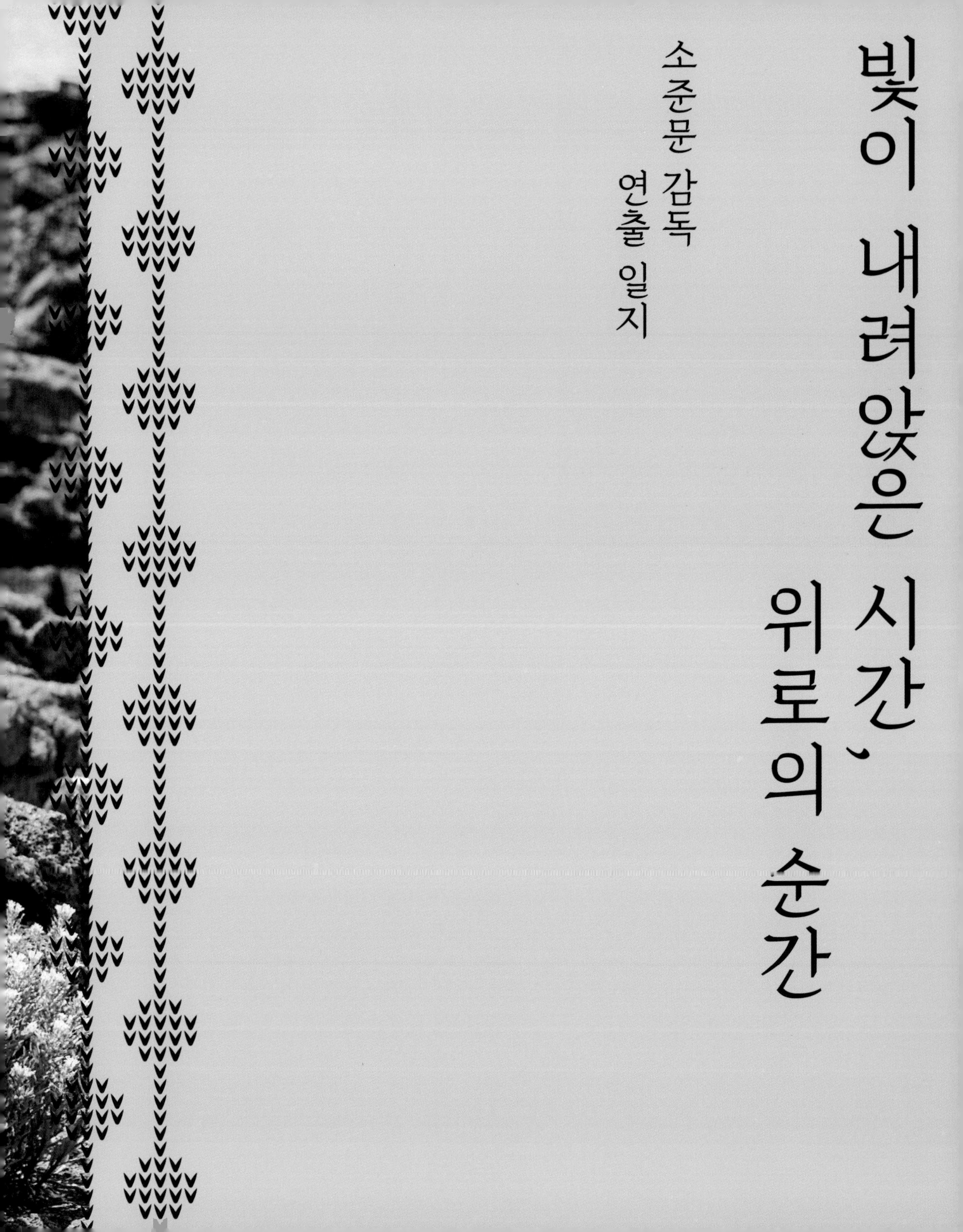
빛이 내려앉은 시간,
위로의 순간
소준문 감독
연출 일지

↑ 소준문 감독 촬영

1

<빛나는 순간>의 시나리오를 준비하면서 제일 먼저 고려했던 부분은 바로 장소였다.

제주도. 육지와 멀리 떨어져 있는 외딴섬. 나에게 제주는 '그리움의 공간'이었다. 이국적이고 아름다운 풍광보다는 제주도가 품고 있는 '정서'에 집중하며 시나리오를 써 내려갔다. 4.3이라는 슬픈 역사, 그로 인한 아픈 상처, 그리고 그것들을 견디며 살아남은 사람들. 감히 '육지것'인 내가 영화를 통해 그 상처를 위로하고 어루만져 주고 싶은 마음이 들었다.

그러면서 동시에 '해녀'의 이야기도 해야겠다는 생각을 했다. 해녀박물관에서 보았던 해녀들의 인터뷰 영상이 머릿속에서 떠나지 않았기 때문이다. 척박한 상황에서도 삶을 일궈 낸 숭고한 그 모습은 정말이지 감동 그 자체였다. 하지만 이러한 것들을 그대로 재현해내기보다는 나만의 방식으로 다시금 해석하고자 했다. 씻을 수 없는 상처와 고된 삶에 대한 위로의 방법으로, 나는 주저 없이 '사랑'을 선택했다.

2

제주에 내려와 시나리오 작업에 몰두했지만,
쉽지 않았다. 제주의 밤은 몹시 외로웠고,
제주의 바람은 매우 거셌다. 렌트카를 몰고
이 마을, 저 마을을 둘러보았다. 특이하게도
마을에 자리 잡은 신목들이 눈에 띄었다.
여전히 제주에는 샤머니즘의 전통이 뿌리 깊게
남아있었고, 그렇게 가까이에서 바라본 제주의
속살은 사뭇 원시적이었다. 우연히 지나다가
본 해녀들의 해신굿 풍경에서 알 수 없는
절실함과 간절함이 느껴졌다.

지형적인 요인으로 인해 숙명적
외로움이 묻어 있는 섬, 제주도. 그 거대한
외로움은 섬사람들 개개인의 마음속에 자리
잡고 있었고, 제주 생활을 얼마 하지 않는
나에게도 서서히 물들어 갔다. 이런 외로움
속에서 절실함과 간절함을 다해 내가 이곳에서
보고 느낀 순간들을 차곡차곡 시나리오에
채워나갔다.

3

해녀에 대한 본격적인 공부를 시작하면서 가장 많이 접하게 된 단어는 '강인한 어머니'였다. 솔직히 나는 이 단어에 약간의 불만이 있었다. 왠지 해녀의 이미지를 전통적인 가치관 안으로 한정시키는 느낌이 강했다. 내가 바라본 해녀의 모습은 아리따운 소녀였고, 단단한 현무암 곁에 피어 있는 바다 꽃처럼 아름다웠다. 그래서 나는 우리가 익숙하게 받아들이는 그 이미지가 아닌 다른 결을 찾아 이야기하고 싶었다. 꽉 끼는 해녀복 속 안에 감춰져 있는 소박하고 순수하고 어여쁜 감정을 말이다. 그녀들의 주름진 미소에서, 거친 손끝에서, 바다를 가득 메우는 숨비소리에서 나는 '빛나는 순간'을 보았다.

↑ ↓ 소준문 감독 촬영

4

시나리오가 대략의 형태를 갖춰갈 때쯤, 운 좋게도 '명필름랩'에 입학을 하게 되었다. '명필름랩'은 명필름에서 만든 신진 영화인들을 발굴, 육성하는 일종의 영화학교다. 이러한 좋은 기회를 발판 삼아 ‹빛나는 순간›의 프로덕션이 가시화되기 시작했고, 나는 불철주야 시나리오 수정에 매달렸다. 그러던 중 제주에 살고 있던 하명미 프로듀서가 같이 제작을 하고 싶다는 제안을 해왔다. 천군만마를 얻은 기분으로 열심히 준비했고, 기적적으로 영화진흥위원회 제작 사업에도 선정이 되었다.

솔직히 ‹빛나는 순간›은 태생적으로 제작하기 어려운 영화였다. 제주 촬영은 기본이고, 그 안에서 바다로, 산으로, 로케이션만 해도 작은 영화에서는 엄두를 못 낼 규모다. 설상가상 배우 캐스팅마저 어려웠다. 선택지는 단 하나뿐이었다. 칠십 대 제주 해녀를 연기할 수 있는 배우. 바로 고두심 선생님이었다. 주변에선 다들 꿈같은 이야기라며 다른 대안을 고민하는 게 좋을 것 같다는 현실적인 이야기를 건넸다. 하지만 나는 이미 고두심 선생님을 마음속으로 캐스팅한 상태였고, 선생님이 아니면 이 영화는 만들어질 수 없다고 믿었다. 내가 고두심 선생님을 주인공으로 떠올린 이유는 선생님이 제주 출신 배우라는 점 때문만은 아니었다. 어릴 적, ‹꽃보다 아름다워›라는 드라마에서 본 그 얼굴과 연기를 잊을 수가 없었기 때문이다. 가슴에 빨간약을 바르는 장면은 지금 봐도 명장면이지만, 나는 다른 장면이 기억에 선명하게 남았다. 자신의 신장을 남편의 내연녀에게 떼어주어야 하는 가슴 아픈 고민을 안은 채, 첫사랑 오빠를 만나러 목포에 가는 그 장면. 그때 나는 늘 어머니 역할의 배우라고 생각했던 선생님의 얼굴에서 사랑을 마음에 품은 소녀의 얼굴을 보았다.

〈빛나는 순간〉에서 가장 중요한 지점은 칠십 대 노년 해녀의 얼굴에서 어머니의 얼굴이 아닌 사랑의 얼굴이 보여야 한다는 것이었다. 그것을 표현해 줄 배우로는 고두심 선생님이 유일했다. 하지만 고두심 선생님을 캐스팅하는 일은 진짜 꿈같은 이야기였다.

‹빛나는 순간›은 배우들에게도 어려운 영화였다. 그럼에도 좋은 배우들이 함께 하겠다는 의사를 내비쳤다. 그토록 바라고 바랬던 고두심 선생님과 지현우 배우. 두 배우 모두 영화보다는 드라마에서 익숙한 배우들이다. 나는 그들의 '드라마틱한' 얼굴을 어떻게 해야 '시네마틱한' 얼굴로 만들어 나갈 수 있을지 고민했다. 양정훈 촬영감독과 이야기를 나누며, 우리가 흔히 봐온 제주도의 아름다운 풍경 대신 배우들의 얼굴로 영화를 채워나가기로 결정했다. 얼굴이 풍경이 되는 영화. 클로즈업 영화. 배우의 영화.

본격적인 시나리오 회의를 하면서 가장 화두가 되었던 부분은 키스신이었다. 나는 ‹빛나는 순간›에서 그려지는 사랑의 모습이 정서적 교감으로만 그치지 않기를 바랐다. 특히나 노년 여성의 사랑이기에, 그 모습을 더욱 섬세하게 표현하고 싶었다. 하지만 반대가 만만치 않았다. 40년 가까운 나이 차이의 사랑도 힘든데, 키스신이라니. 우리가 쉽게 상상할 수 있는 이미지는 아니었다. 그러나 나는 이것이 납득의 문제라고 생각하진 않았다. 스태프 몇몇은 키스신을 공감시키려면, 진옥 캐릭터에게 섹시함 혹은 그 정당성이 필요하다는 의견을 내비쳤다. 나는 그 말이 너무도 화가 나서, 약간의 큰소리를 냈다. 그들의 불편함이 곧 편견이라는 생각 때문이었다. 사랑은 누구에게나 찾아올 수 있는 감정이다. 사랑을 표현하는 것도 마찬가지다. 회의가 진행되면서 불거진 또 하나의 이슈가 있었다. 나이 든 남자가 연하의 여자를 사랑하는 것은 익숙하나, 나이 든 여자가 연하의 남자를 사랑하는 것은 익숙하지 않다는 것이었다. 키스신과 마찬가지로 정당한 이유가 필요하다는 의견이 많았다. 외형적인 매력이라는 단어에 나는 더 이상 회의를 진행할 수가 없었다.

어쩌면 ‹빛나는 순간›은 굉장히 불편한 영화일지도 모른다는 생각에 고민이 깊어갔다. 하지만, 나는 그 불편함을 정면 돌파하기로 마음먹었다. 나에겐 영화 속에서 그려진 사랑이 전혀 불편하지 않았고, 이 영화를 본 사람들 또한 그렇게 받아들일 거라는 믿음이 있었기 때문이다.

6

드디어 크랭크인. 준비를 단단히 했다고 자신했지만, 정신이 없었다. 그럼에도 배우들의 얼굴에서 '빛나는 순간'을 보았다. 화장품 가게 앞을 서성이는 진옥의 표정에서 나는 소녀의 얼굴을 발견했다. 정말 찰나의 순간이었는데, 고두심 선생님은 그 섬세한 감정을 잘 표현해 주셨다. 지현우 배우도 마찬가지였다. 시나리오에서 정말 중요한 감정신을 첫날 허겁지겁 촬영했음에도, 영화에서 손꼽을 만큼 아름답고 처연한 연기를 보여줬다. 촬영지 근처 도로에서는 교통사고가 발생해 난리가 났지만, 끝까지 집중을 해준 배우에게 너무 고마웠다. 시간에 쫓겨 몇몇 장면을 찍지 못했다. 제작 여건상 현장에서 고민할 시간이 부족했다. 그래서 나름 꼼꼼하게 체크를 했다고는 하지만, 현장은 늘 예상치 못한 일들의 연속이었다. 앞으로 남은 촬영은 23회차. 갈 길이 멀었지만, 그래도 첫 시작이 나쁘진 않았다.

7

영화 속 또 다른 주인공인 제주가 속을 썩였다. 제주에서의 촬영은 순탄치 않았다. 날씨, 바람, 조류 등… 시시각각 변덕을 부리는 통에 회차별 정해놓은 분량이 아닌 그때그때 즉흥적으로 장면을 바꾸며 촬영할 수밖에 없었다. 기대했던 이미지들을 수정하며 상황에 맞춰가는 촬영이 못내 아쉬웠고, 참 많이 안타까웠다. 스태프들은 기우제를 지내지 않아서 이런 고생을 하는 거 아니냐며 농담을 했지만, 정말이지 '제주의 신'이란 신은 다 만나서 무릎 꿇고 빌고 싶은 심정이었다.

‹빛나는 순간› 제목처럼 제주의 '빛나는 순간'을 담고 싶었지만, 그 순간은 정말 귀했다. 다행인 것은 배우들과 스태프들의 헌신, 삼달리 주민들의 전폭적인 지지가 큰 힘이 됐다. 영화 속 대사처럼 "이게 제주도의 매력이지!"라고 하기엔, 그 매력이 너무도 치명적이었다.

↑↓ 소준문 감독 촬영

8

오늘은 영화에서 가장 중요한 신인 진옥의 독백 장면을 찍는 날이다. 아침에 눈 뜨자마자 날씨부터 체크했다. 정말이지 오랜만에 보는 맑은 날이었다. 이 신에서는 빛이 정말 중요했기에 신경을 안 쓸 수가 없었다.

고두심 선생님과 제주 4.3의 아픔을 어떻게 표현할지 차분하게 이야기를 나눴다. 선생님께서는 자신에게 맡겨 달라는 간곡한 부탁을 하셨다. 나는 선생님을 믿었다. 선생님의 시나리오를 보니 깨알 같은 글씨로 세세하게 참 많이 준비를 해오신 듯했다.

양정훈 촬영감독과는 이 신을 롱테이크로 찍기로 결정한 상태였다. 단 한치의 기술적 실수도 용납되지 않는, 매우 긴장된 촬영이었다.

↓ 진옥의 독백 장면이 촬영된 곶자왈 숲

드디어 슛. 모두가 숨죽인 가운데 촬영이 진행됐다. 9분이 넘는 고두심 선생님의 독백. 그 안에는 제주 출신 배우만이 말할 수 있는 진심이 담겨있었다. 스태프들 모두 눈물을 흘렸고, 나 또한 감정을 주체할 수 없었다. 때마침 오늘은 선생님의 칠순 생신이셨고, 선물처럼 제주도의 아픔을 위로해 주셨다. 정말이지 영화적인 순간이 아니었나 싶었다. 그야말로 '빛나는 순간'.

9

촬영이 중반을 넘어서고 있다. 배우들은 말할 것도 없고, 모두가 고생이다. 제작 여건상 단 한 번 있는 수중촬영. 두 팀으로 나눠서 촬영을 진행했다. 늘 그러했듯, 제주의 바다는 쉽사리 촬영을 허락하지 않았고, 나는 걱정에 신경이 바짝 곤두서 있었다.

조류는 점점 거세졌고, 수중촬영 감독마저 입술이 새파랗게 질려갔다. 배우들을 이 거친 바다 안에 들여보내야 한다는 것 때문에 나는 점점 마음이 무거워졌다. 고두심 선생님께서 자맥질 시범을 보이셨는데, 계속해서 몸이 파도에 휩쓸려 앵글을 벗어났다. 답답한 마음과 죄송한 마음이 머릿속에서 계속 교차되며 나를 괴롭혔다.

특히나 영화의 이별 장면까지 찍어야 하는데, 배우가 전혀 연기를 할 수 없을 만큼 바다가 성을 냈다. 바다에 대고 큰소리로 욕을 내뱉고 싶은 심정이었다. 촬영을 이대로 접을까 고민도 했지만, 제작 상황은 나를 압박해왔다. 배우들 또한 감독의 마음을 헤아렸는지 볼멘소리 없이 묵묵히 거친 파도와 사투를 벌였다. 그러나 상황은 점점 악화되었고, 급기야 철수해야겠다는 마음을 먹은 그 순간, 고두심 선생님께서 거센 파도 속에서 몸을 휘청거리며 크게 외치셨다.

"나 고두심이야! 나 할 수 있어!
감독님, 이 신 꼭 찍어야 하잖아."

그 말을 듣자마자 눈물이 핑 돌았다. 일흔의 배우가 나약한 어린 감독에게 건넨 열정에 나는 기운차게 "슛!"을 외쳤다. 하지만 끝내 불가항력적인 상황으로 인해 촬영을 접었고, 대신 나는 선생님의 손을 꼭 잡아드렸다.

드디어 제주에서 마지막 촬영이다. 여전히 힘든 촬영이 남은 터라, 끝까지 긴장했다. 다행히 날씨는 맑았지만, 파도는 여전히 거셌다. 제주는 마지막까지 호락호락하지 않았다.

영화 속 지현우 배우의 마지막 촬영을 시작했다. 택시 안에서 이별을 예감하고 눈물을 흘리는 신이었는데, 나는 배우에게 아이처럼 울 것을 부탁했다. 절대로 예쁘게 울지 않았으면 좋겠다는 마음이 컸다.

기대처럼 지현우 배우는 혼신의 힘을 다해 연기해 주었다. 배우로서는 보이고 싶지 않은 못나 보이는 얼굴까지 감수하면서 말이다. 지현우 배우는 촬영 내내 학구파 배우로 불렸다. 대사 한 줄도 그냥 넘어가는 법이 없었다. 행간의 의미와 여백들을 감정으로 채우며 끊임없이 노력했다. 그 점이 참으로 고맙고 감동적이었다. 어쩌면 나는 '배우 복'이 타고난 감독이 아닐까 우스운 생각도 했었지만, 솔직히 사실이었다. ‹빛나는 순간›의 대부분은 나보다 배우들이 만들어준 몫이 컸다.

11

‹빛나는 순간›이 제16회 제주영화제에 개막작으로 초청되어 제주에서 처음으로 상영하게 됐다. 이전 제25회 부산국제영화제에서 첫 상영을 했던 것보다 더 떨리고 긴장이 됐다. 왜냐하면 ‹빛나는 순간›은 제주에 의한, 제주를 위한, 이른바 ‘메이드 인 제주도’ 영화이기 때문이었다. 그만큼 제주도민들에게 영화에 담긴 진정성을 인정받고, 응원과 사랑을 받고 싶었다. 상영 몇 시간 전부터 상영장과 영사 상태, 사운드 등을 체크했다. 촬영 내내 물심양면 도움을 주신 분들도 초대하는 자리였기에 최상의 컨디션으로 영화를 선보이고자 최선의 노력을 다했다. 더군다나 영화의 배경이었고, 출연까지 해주신 삼달리 해녀 삼춘들도 모시는 자리였다.

엔딩크레딧이 올라가자, 긴장했던 마음이 탁 풀어졌다. 열화와 같은 박수소리가 쏟아졌고, 그 따뜻하고 정감 어린 환대에 가슴이 뭉클해졌다. 고맙다는 감사의 말을 몇 백 번을 더해도 모자라지 않을, 제주에서의 첫 상영. 평생 잊을 수 없는 얼굴들과 소중한 시간들이었다.

“구름 사이로 고개를 내민 찬란한 빛은 웅장한 한라산에 쏟아져 내리고, 거친 파도를 견뎌내는 검고 단단한 현무암에 닿았다가, 이내 해녀복 사이로 내민 주름지고 거친 해녀의 손등을 살포시 어루만져 준다” 이 문장은 ‹빛나는 순간›을 처음 구상할 때 써놓았던 메모다. ‹빛나는 순간›은 빛의 이미지에서 출발한 영화다. 나에게 빛이란 조용히 머물다 사라지는 찰나의 시간이다. 빛은 어둠을 밝혀주고, 차가움에 온기를 불어넣어 준다. ‘빛이 내려앉은 시간’은 ‘위로의 순간’이다. ‘사랑’은 ‘위로의 순간’에서 피어난다고 생각한다. 영화 ‹빛나는 순간›은 ‘위로의 순간’과 ‘사랑의 순간’을 그린 아름다운 영화다. 이 영화를 통해 관객분들도 자신만의 ‘빛나는 순간’을 떠올리기를 바란다. ‘사랑의 순간’을 말이다.

소준문 감독
‹연지›(2016) 감독,
‹알이씨REC›(2011) 감독,
‹올드 랭 사인›(2007) 감독

제주의 돌처럼 단단하고 제주의 물빛처럼 아름다운

하명미 프로듀서 제작 일지

하도리에서 영화를 찍겠다고요?

내가 살고 있는 제주 동쪽 하도리 마을은 제주에서도 해녀 공동체 마을로 선정된 곳이다. 마을 주민의 90%가 해녀분들로 바다에서 물질하는 날이면 장관이 펼쳐진다. 트럭들이 줄지어 해녀들을 싣고 바다로 향한다. 호루라기 소리에 맞춰 일제히 바다로 뛰어드는 모습을 멀리서 바라보고 있으면 삶의 아름다움과 동시에 경외감이 밀려온다.

이 이야기를 내가 왜 소준문 감독에게 했을까 후회한 적이 있다. 영화 ‹빛나는 순간›을 우리 마을에서 찍겠다고 했을 때 덜컥 겁이 났었다. 조용하고 평화로운 마을에 피해를 입히지 않을까 두렵기도 했고, 8년 전 이곳으로 이주해 조용히 살고 있는 '내 존재'를 마을에 드러내야 하는 것도 큰 부담이 되었다. 영화 찍는 '육지 것들'이 와서 마을을 쑥대밭으로 만들고 떠나고 나면 나 홀로 이 마을에 남겨져야 하기 때문이기도 했다. 영화 ‹빛나는 순간›을 제작한다는 건 제주에서 어렵게 찾은 내 평화로운 삶의 근간을 흔들 수도 있는 일이었다. 게다가 70세 해녀 삼춘과 30대 청년의 사랑 이야기를 한다니!!! 이 사실을 마을 어촌계장님이 알게 된다면!!! 해녀 삼춘들은 또 어떻게 생각하실까!!! 걱정이 앞섰다. "이 사랑!", 참으로 두렵고 세상에 내보이기 쉽지 않았다. 다행히 로케이션 헌팅 과정에서 동쪽보다는 서쪽을 마음에 들어 했던 소준문 감독의 결정으로 나의 평화는 유지될 수 있게 됐다.

그러나 서쪽은 영화 ‹빛나는 순간›을 찍기에 해녀 인구 비율이 적기도 했고 물이 깊고 험했다. 무엇보다도 시나리오에 묘사된 장소의 느낌이 살지 않았다. 제작팀들도 동쪽이 가장 적합하다 판단했으나 감독은 개발된 동쪽의 풍경에 실망했다. 그도 그럴 것이 제주 전역에 안 그런 곳을 찾기가 어려울 정도지만, 동쪽

역시 우후죽순 생겨난 신축 건물들이 여전히 공사 중이었다. 촬영할 때쯤 언제 어디서 건물이 솟아오를지 모르는 상황이라 불안하기도 했다. 따뜻한 봄 촬영을 위해 한겨울 눈발이 날리는 제주에서 제작팀과 제주의 동서남북을 돌며 마을을 찾느라 비지땀을 흘렸다. 영화 속 주인공인 진옥이 평생을 살아온 마을은 도대체 어디 있을까?

마을이 마음에 든다고 해서 바로 그곳을 결정할 수도 없는 노릇이었다. 영화 촬영에 협조적인 마을 공동체를 찾는 것도 우선시할 수밖에 없는 상황이었다. 배우로 직접 출연도 해줄 협조적인 해녀 공동체도 찾아야 했던 것이다. 제주의 혹독한 겨울바람을 맞으며 흘린 콧물이 고드름이 되어갈 때쯤 마침내 동남쪽에 위치한 물빛이 가장 아름다운 마을, 제주 서귀포 성산읍 삼달리를 발견하게 됐다. 일단 감독, 제작팀 모두 만족스러워했다. 이제 나는 삼달리 마을에서 촬영 허가를 받기 위해 삼달리 어촌계장님, 해녀회장님, 마을 이장님 등에게도 만장일치 허락을 받아 내야 했다. 촬영 허가를 받기 위해 나를 비롯 제작팀들이 공을 많이 들였다. 수시로 음료수를 사 들고 마을에 찾아가 인사를 드리고 해녀 삼춘들이 물질을 끝내고 나오는 순간 빵과 우유를 준비해 드리는 전략은 기본. 결국 삼달리 마을 어르신들은 우리 영화를 따뜻하게 품어주셨다. 이 마을을 만나게 해준 '제주예술'의 김기완 대표님과 마을 어르신들의 꽁꽁 언 마음을 녹여줄 푸근한 미소를 지닌 정일동 제작팀장이 일등공신이다. 그들 덕분에 물빛이 아름다운 영화를 담을 수 있게 되었다. 그리고 동시에 하도리에서 내 삶을 평화롭게 유지할 수 있게 되었다. 얼마나 다행인가.

고두심 선생님이 아니면 안 돼요!

영화 ‹빛나는 순간›의 시나리오 작업 때부터 나온 이야기다. 제주어가 자연스럽게 되면서 제주의 풍광을 담을 수 있는 얼굴. 그리고 누구보다도 이 사랑에 뛰어들 용기 있는 인물이어야 하고, 누구보다도 제주의 삶을 이해하는 인물이어야 했다. 결론적으로 고.두.심. 선생님뿐이었다. 제주의 돌처럼 단단한 마음을 지닌 해녀 '고진옥'역을 해낼 단 한 사람. 그리고 누구보다도 제주의 삶을 이해하고 있어야 했다. 명필름 측에서 소개해준 최철웅 캐스팅 디렉터를 통해 고두심 선생님과 접촉할 수 있었다.

고두심 선생님을 처음 만난 날을 기억한다. 고두심 선생님은 천부적인 입담으로 부모님의 러브스토리며 제주에서 보낸 어린 시절 이야기를 생생하게 들려주었다. 한 편의 영화를 본 듯 선생님이 살아온 인생이 마음속에 강렬하게 각인되었다. 고두심 선생님을 캐스팅하기 위해 매니저인 동생분이 운영하는 식당을 찾아가 설득한 이야기, 산행을 즐기는 선생님의 관절을 위해 천연 발효식초인 '계란 식초'를 만들었던 이야기는 딱 여기까지만 하기로 한다. 고두심 선생님은 ‹빛나는 순간›의 '고진옥' 역은 본인밖에 할 수 없음을 직감하셨고 용기 있게 출연을 결정하셨다. 가장 인상적이었던 출연승낙의 멘트가 생각나 이곳에 적어본다. 고두심 선생님 매니저인 고두화 선생님이 "출연할게요" 대신 "그 계란 식초 레시피 좀 알려주세요~"라고 기쁜 소식을 알려왔다. 나의 모친의 말씀대로 계란 식초는 만병통치약이 분명하다.

이제부터 경훈이라고 불러주세요!

70세 해녀 '고진옥'과 사랑에 빠지는 30대 남자 '경훈' 역도 캐스팅하기가 쉽지 않았다. 영화 ‹빛나는 순간›이 지닌 '둘만이 간직한 마음'을 알아봐 줄 남다른 감성을 지닌 배우를 찾다가 [올드미스 다이어리]로 이름을 알린 지현우 배우에게 시나리오를 보냈다. 한눈에 작품을 알아본 그는 현장에서 소준문 감독의 곁을 지키며 작품에 진심과 열정적인 태도로 임했다. 제주에 도착한 날부터 '현우씨~'가 아닌 '경훈아~'라고 불러 달라는 주문이 있을 정도로 캐릭터에 몰입하는 모습을 보여줬다.
나는 영화를 볼 때마다 고두심 선생님과 지현우 배우가 함께 있는 투샷을 보고 있으면 미소를 짓게 된다. 그리고 조용하고 내성적이지만 자신의 사랑을 드러낼 수 있는 대담한 용기를 지닌 '경훈'역을 지현우 배우가 맡게 되어 정말 다행이라는 생각이 든다. 지현우 배우가 아니었다면 ‹빛나는 순간›은 반쪽짜리 영화가 됐을지도 모른다.

그는 정말 따뜻하고 마음씨 착한 '경훈'과 많이 닮았다. 나중에 알게 된 사실인데, 그는 ‹빛나는 순간›의 시나리오를 읽고 출연 여부를 결정짓기 위해 바로 제주행을 결정했다고 한다. 폭설이 내린 뒤라 한라산 정상은 눈꽃으로 장관을 이루고 있었던 때였다. 그런데 마침, 그가 한라산 정상에서 사색에 잠겨있는 순간을 우연히 그곳에 지인과 오른 우리 스태프가 보게 된 것이다. 한라산에서 키가 크고 잘 생긴 사람이 있는데 단번에 눈에 들어와 가까이 가보니 지현우 배우였던 것이다. 그녀는 당장 내게 전화를 걸어 "지현우 배우가 출연 승낙을 할 것 같은 느낌이다"라고 말했다. 내가 어째서 그렇게 생각하느냐 물으니 그가 사색에 잠겨 있었는데 햇살이 "쫘-악" 내리쬐더라는 것이다. 그야말로 '빛나는 순간'이었는데 그가 우리 작품을 고심하는 느낌이었다는 것이다. '응?' 그게 말이 되는가 싶었지만 그냥 다 믿고 싶었다. 지현우 배우가 꼭 출연했으면 하는 마음이 강했기 때문이다. 그 당시 그는 MBC [나 혼자 산다]에 출연해 소탈하고 아날로그적 감성을 보여주며 대중의 호감도가 더욱 올라간 상태였다. 실제 마을 어르신들과 어울려야 하는 우리 영화 제작 여건에 지현우 배우가 좋은 에너지를 만들어 내리라 예상했다. 다행히도 그는 소준문 감독과 미팅 후 감독의 전작을 찾아보고 시나리오에 깊게 매료되어 ‹빛나는 순간›에 출연을 결정하게 됐다.

그는 진짜 제주의 로컬 풍경에 젖어들기 위해 많은 노력을 했다. 걸어서 마을 구석구석을 탐방하기도 하고 해녀의 삶을 이해하기 위해 책도 읽고 해녀작업장에 자주 찾아가며 공간에 익숙해지려 노력했다. 사전 제작 단계 때 좋은 호텔 대신 허름한 시골집인 우리집에서 지내면 안 되냐는 연락을 할 정도였다. 불행하게도 우리집은 촬영팀의 숙소와 멀리 떨어져 있어서, 소준문 감독과 자주 만나 소통하기 바랐던 그에게 적합하지 못했다. 대신 언제든지 그가 원하는 때에 올 수 있도록 나의 창고 카페를 개방해 주었다. 내가 운영하는 작은 시골집 책방도 자유롭게 드나들 수 있도록 열쇠도 주고 비밀번호도 알려줬다. 그는 촬영이 없는 휴차 때 조용히 책방과 창고를 오가며 다음 촬영 준비를 위해 그곳에서 대본을 읽고 대사 연습을 했다. 한 번은 휴차 때 연락이 와서 "PD님, 저… 여기 마당에 고양이들이 왜 자꾸 저를 쫓아다니죠? 밥 달라는 거죠? 사료가 어디 있나요?"라고 물었다. 나는 무척 고마웠다. 휴차 때 맘껏 쉴 수 있는 절호의 기회였기 때문이다. 매일 밥을 줘야 하는 고양이 친구들을 위한 집사 생활의 짐을 나눌 수 있는 이를 찾고 있었기 때문이다. "마당 안쪽 세탁실에 들어가면 다용도 선반 위에 김치통이 있는데요~ 그거 열고 초록색 바가지로 한가득 퍼서 평상 밑 고양이들 밥그릇에 나눠서 부어주시면 됩니다. 아! 그리고 괜찮으시다면 물도 좀 주실 수 있을까요?"

나는 평소 배우들을 어렵게 생각하는 편인데 이번 작품에서 만난 고두심 선생님과 지현우 배우와의 소통에 전혀 어려움이 없었다. 나도 나이가 들어 사람들을 좀 더 편안하게 대할 수 있는 여유가 생겼을 수도 있겠지만, 두 배우분들이 나를 비롯해 현장의 스태프들을 늘 따뜻하고 편안하게 대해 주었던 덕이 클 것이다. 현장에서 촬영을 기다리다가 저기 멀리서 배우들이 세팅을 마치고 걸어오는 모습을 보기만 해도 내 얼굴에 미소가 번졌다. 매번 볼 때마다 반갑고 고마웠다. 현장에서 늘 두 배우에게 크게 의지하며 지냈다. 이 글을 통해 지현우 배우에게 고마움을 다시 한번 전하고 싶다. "고양이들 보살펴 줘서 너무 고맙습니다냥~"

이 밤~ 그날의
반딧불을…,
범 내려온다~~~

멜로 영화에서 음악이 차지하는 비중은 배우들의 캐스팅만큼 중요하다. 대사로 전해지지 않은 마음의 여백을 채우고 그들의 정서를 대변해야 하기 때문이다.

나는 시나리오 단계 때부터 장영규 음악감독을 섭외 1순위에 올렸다. 영화 ‹판소리 복서›를 보고 작은 영화에도 이렇게 독특하고 강렬한 음악을 만들어 낼 수 있는 분이구나 싶었고, 무엇보다도 이야기 해석 능력이 뛰어난 분이라는 생각에서였다. 제주에서 소준문 감독과 해녀분들 인터뷰를 하며 숙소에서 각색 작업을 하고 있는데 시나리오를 읽은 장영규 음악감독이 참여 의사를 밝혔다. 후반작업 때 장영규 음악감독이 참여한 프로젝트 팝 밴드 이날치가 유명해지면서 괜히 어깨가 으쓱해지기도 했다. 이렇게 성사된 만남으로 영화 ‹빛나는 순간›의 장면들에는 장영규 음악감독이 빚어낸 수준 높은 멜로디가 두 인물의 감정을 제대로 이끌어준다.

영화 속에서 고두심 선생님은 아이유의 ‘밤편지’를 부른다. 그런데 이 곡은 사실 상당히 어려운 곡이다. 전문 가수들도 음정을 따라가기가 어려울 정도다. 그래서 장영규 음악감독이 영화 사전제작 단계부터 보컬 코치를 소개해 주셨고, ‘밤편지’는 고두심 선생님의 목소리를 통해 ‘진옥’의 감정이 듬뿍 실린 채 영화 속에 아름답게 담길 수 있었다.

또 하나의 아름다운 사연도 있다. 아이유 씨가 고두심 선생님과의 인연으로 ‘밤편지’ 저작인격권을 무료로 사용할 수 있게 허락해 준 것이다. 마지막 촬영일에 역대 최다 메뉴가 있는 커피 트럭도 보내줬는데 개인적으로 감사의 인사를 어떻게 전해야 할지 몰라 이곳에 적는다. “아이유씨 사랑합니다!”

촬영 중에 내리는 소낙비, 해무, 거센 파도, 바다를 헤엄치던 돌고래 떼!

제주에서 영화를 찍을 때 날씨가 난제라는 것을 이 섬의 영화인들이 모를 리 없다. 그래도 나름 제주살이 8년 차인 프로듀서인 만큼 풍속의 세기와 절기 단위의 바람의 방향 정도는 알고 있었기 때문에 가장 날씨가 좋은 5월에 촬영하면 문제없을 거라 판단했다.

불행하게도 2020년은 평년의 12개월보다 1개월 더 보태진 달로 윤달의 해였다. 그러니 실제 촬영하는 달은 5월이었지만 4월의 날씨를 예측하며 촬영해야 했는데, 예측이 가능할 리 없지 않은가. 4월은 제주에서 고사리 장마 기간이다. 고사리가 쑥쑥 자랄 정도로 많은 양의 비가 내리고 온 마을과 바다가 해무로 자취를 감추기를 반복했다. 촬영 때는 비가 오고 휴차일 때는 날이 맑아서 돌아버릴 지경이었다. 리허설할 때는 파도가 잔잔하다가 슛만 돌아가면 거센 파도가 일어서 물속에서 연기해야 하는 고두심 선생님 고생이 상당했다.

그래도 고두심 선생님의 연기 열정은 변화무쌍한 제주 날씨조차 이기지 못했다. 모두가 고두심 선생님의 안전을 걱정할 때 선생님은 물 밖으로 나오지 않고 “한 번 더!” “카메라 돌려!” “감독님 슛 가요! 슛!” 하며 온몸을 던져 연기하셨고 그런 노력 끝에 좋은 장면들을 담을 수 있었다. 고두심 선생님의 연기를 보고 있노라면 감탄이 절로 나올 때가 한두 번이 아니지만 거친 파도 속에서 열연을 펼친 그날의 연기는 잊을 수 없다. “선생님! 존경합니다!”

사실 고두심 선생님은 캐스팅 단계 때부터 물을 두려워한다고 고백하셨다. 어린 시절 물에 대한 트라우마 때문이었는데 작품을 위해 그 공포를 극복하려 정말 많은 노력을 하셨다. 사전제작 단계 때부터 잠수풀에 가셔서 트레이닝을 열심히 받으셨고 촬영에 돌입한 후에도 휴차 때마다 바다에서 해녀물질

연습을 쉼 없이 하셨다. 그 결과 고두심 선생님은 완벽한 제주 해녀가 되어 전복, 소라는 물론 문어까지 잡아 올릴 수 있는 지경에 이르셨다. 여러 장면들이 기억에 남지만 무엇보다도 마지막 촬영인 수조 세트촬영 때 씨플렉스의 김준희 수중촬영감독은 자신과 함께 촬영한 최고령의 배우라며 수심 5m 깊이의 물속에서 단번에 연기를 해낸 고두심 선생님에게 뜨거운 박수를 보내기도 했다. 변덕스러운 날씨의 거친 파도에 몸을 던지며 해녀의 삶을 살아낸 고두심 선생님께 존경과 감사의 마음을 전하고 싶다.

지현우 배우 역시 물을 두려워하는 '경훈' 역을 해내기 위해 깊은 수심에 가라앉는 연기를 반복해서 했어야 하는데 성실하게 트레이닝 한 결과 좋은 장면을 만들어낼 수 있었다. 강한 바람에 파도가 거세지는데도 용감하게 바다에 뛰어들던 지현우 배우를 떠올리며 그에게도 뜨거운 감사의 마음을 전하고 싶다.

기억에 남는 일화가 있다. 그날도 변덕스러운 날씨로 촬영을 멈추고 망연자실하게 바다를 바라보고 있었다. 그런데 스태프들이 "저기요 저기!"라고 손짓하며 가리키길래 그쪽을 보니 돌고래 떼가 동쪽 바다를 향해 헤엄쳐 가고 있는 게 아닌가. 스태프들 모두 환하게 웃으며 돌고래 떼를 바라보며 힘을 냈다. 그게 뭐라고, 싶다가도 힘든 순간에 그런 장면들이 연출될 때마다 "아.. 기운 내라고 바다의 신 영등할망이 보내 주셨나 보다"하며 촬영을 이어갈 수 있었다.

해삼이
사라졌다고요?

촬영장에 오니 미술팀의 얼굴이 좋지 않았다. 미술 팀원들이 오늘 촬영에 쓰일 해삼을 전날 바닷가 현무암 사이에 단단하게 묶어두었는데 보이질 않는다는 것이었다. 크고 잘생긴 해삼을 오 만원이나 주고 샀는데 큰일 난 것이다. 제주 해삼은 바다의 산삼으로, 제주 사람들도 귀하게 여기는 것이다. 나는 급한 마음에 바닷가로 달려가 봤다. "어디에 묶어놨다고요?" 위치를 살펴보니 파도에 쓸려가기 딱 좋은 곳이었다. 파도가 계속 들이치는 곳으로 해삼이 온전히 붙어있기를 기대하기 힘들었다. 그래도 다급한 마음에 해녀 삼춘들에게 우리가 묶어둔 해삼을 본 적 있는지 물었다. 삼춘들은 우리 이야기를 듣자마자 '깔깔깔' 크게 웃으시더니 "바닷가에 묶어두면 밤에 다 쓸려가지. 이렇게 날이 좋고 바람이 안 부는 날도 밤에는 갑자기 강풍이 불기도 해서 그렇게 두면 다 쓸어가지" 낙담한 내 표정을 보고는 삼춘이 위로를 해주셨다.

"그 해삼이 살 운명이었나 보다. 해삼 살아서 다행이지 뭐~ 안 그래?" 나는 미술감독에게 이 말을 전하며 새로 하나 더 사자고 했다. 해삼의 수명은 알 수 없다고 한다. 해삼은 불로장생으로 100년을 사는 바다거북이와 어깨를 나란히 하기도 하는데, 수온이 25도 이상이 되면 여름잠을 잔다. 5월에 우리 촬영 현장을 떠나 여름잠을 청하러 떠난 것이다. 그리고 후반작업을 하고 제주영화제를 찾은 추운 겨울에 나는 그때 그 해삼을 떠올렸다. 그 해삼은 지금 어디를 항해하고 있을까? 아직 삼달리 바다에 있을까? 언젠가 만날 날이 올까? 아무튼 횟집 식탁에서 만날 일은 없었으면 한다. 그리고 매해 상승 중인 제주 수온이 낮아져 바다 생태계가 유지되고 해삼의 하면 기간도 짧아지기를 소망한다.

동백충에 걸리셨다고요?

동백 동산에서 촬영을 한 고두심 선생님이 동백충(동백나무잎을 갉아먹으며 사는 차독나방 애벌레)으로 힘들어하신다는 연락을 받았다. 일요일이라 병원을 갈 수도 없는데 공교롭게도 그날은 고무옷을 입고 바다에 뛰어들어가 물질하는 장면을 찍어야 하는 날이었다. 고무옷을 입을 때 살이 쓸려서 온몸에 크림을 바르고 들어가야 하는 와중에 동백충 때문에 온몸이 가렵고 따갑기까지 한 상황이었다. 선생님은 지인에게 부탁해 동백충 약을 구했으니 걱정 말라며 우리를 안심시키셨지만 마음이 편치 않았다. 동백충의 털이 바람에 날려 피부에 닿기만 해도 가려움증, 알레르기 반응이 일어나 각별한 주의가 필요했다. 스태프들 모두 선생님의 안전을 위해 많은 노력을 했지만 눈에 보이지 않는 동백충까지 잡아낼 수 없었던 것이다. 선생님께 너무도 죄송한 일이었는데 선생님은 소준문 감독에게 알리길 원치 않았다. 혹시라도 자신을 걱정해 좋은 장면을 놓칠지도 모른다는 걱정이 앞섰던 것이다. 그날 내 마음은 타들어갔다. 고무옷을 입는 과정의 고충을 알기에 고무가 피부에 닿을 때 얼마나 아프셨을까 생각하면 선생님 앞에서 숙연해질 수밖에 없다. 그날 그렇게 고무옷을 입고 씩씩하게 검고 깊은 바다로 풍덩 뛰어 들어가시던 선생님의 모습이 선명하게 남아있다. 곧 비가 쏟아질 것 같은 회색빛 바다를 향해 테왁을 어깨에 짊어지고 바다를 향해 걸어가던 선생님의 뒷모습이 슬로모션으로 느릿하게 보였다. 그때 잠깐 먹구름 사이로 햇살이 한 줄기 내리쬐더니 선생님을 비추고 지나갔던 것 같다. 미화된 기억일지 몰라도 그렇게 나는 그날 고두심 선생님의 '걸 크러쉬' 면모에 반하고 말았다.

진주알같이 빛나는 고운 마음의 삼달리 해녀 삼춘들!

영화 ‹빛나는 순간›은 삼달리 해녀 삼춘들이 없었다면 완성할 수 없었다. 고두심 선생님과 지현우 배우는 삼달리 해녀 삼춘들과 동고동락하며 가족처럼 지내게 되었다. 두 배우의 친화력이 삼달리 해녀 삼춘들의 마음을 열었다고 해도 과언이 아니다. 삼달리 해녀분들은 지현우 배우를 "아들~"이라고 불렀고 지현우 배우는 해녀들의 작업장을 집처럼 자주 드나들며 그곳에서 휴식도 하고 시나리오 연습도 하며 편안하게 지냈다. 고두심 선생님과 삼달리 해녀 삼춘들은 친구처럼 농담도 주고받는 사이가 되어 해녀의 삶에 더욱 깊게 다가가셨다. 하루는 고두심 선생님과 해녀 삼춘들이 검은 돌 위에 앉아 보리 찐빵을 드시고 계셨는데, 어찌나 자연스러웠는지 선생님을 바로 못 알아보기도 했다.

해녀 삼춘들은 소라와 보말을 잡아주시고 스태프들이 사용할 수 있도록 화장실이며 쉴 수 있는 공간을 제공해 주시기도 했다. 강부선 해녀 삼춘의 일화가 가장 인상에 남는다. 하루는 CG컷 소스 촬영을 위해 테왁이 바다에 둥둥 떠있어야 하는 상황에서, 바람이 많이 불고 파도가 거세서 스태프들이 세팅하는데 난항을 겪고 있었다. 그런데 그걸 보신 강부선 삼춘이 맨몸으로 들어가 테왁의 위치를 잡아주시는 거다. 고된 물질을 끝내고 샤워까지 이미 마치셨는데 말이다. 나는 너무 죄송스러워 수건을 들고 안절부절못하고 있다가 결국 눈물을 쏟고 말았다. 지금도 그때 생각하면 눈물이 난다. 우리가 제작하는 영화가 뭐라고 저분을 저렇게 고생시키나 했다가도 "좋은 장면 건져라이~"라며 환하게 미소 지으시며 내가 건넨 수건을 괜찮다고 받지 않으시던 삼춘의 얼굴이 종종 기억난다.

강부선 삼춘의 고운 마음은 다음의 일화에서도 느낄 수

있다. 어촌계장님으로 출연한 제주 출신 가수이자 배우인 양정원 배우와 함께 강부선 삼춘과 바다에서 대화를 나누고 있었다. 삼춘이 문득 “날이 오늘처럼 좋은 날 물속에 물질을 하러 들어갈 때면 물빛이 너무 고와서 보말이 진주알처럼 반짝반짝 빛날 때가 있어요. 그러면 줍지를 못하겠어. 너무 예뻐서. 그러면 그냥 두고 올라온 적도 있어요. 너무 예쁘잖아. 오늘 날이 좋아 촬영이 잘 되겠네요”라고 격려해 주시는 거다. 그날 이후 난 촬영 때 힘든 순간이 찾아오면 강부선 삼춘이 해준 말을 떠올렸다. 진주알처럼 예쁘게 빛나는 영화로 완성하자. 그리고 그 마음에 보답하자고 말이다.

모두에게 행운이 가득하기를!

고두심 선생님은 촬영 현장부터 영화를 완성한 지금까지 늘 맛있는 밥을 사주시는 분이다. 우리 영화가 회식 한 번 하기 어려운 빠듯한 예산이었던 걸 고두심 선생님은 알고 계셨다. 그래서인지 매번 힘든 촬영이 끝나면 스태프들을 불러 모아 전복죽이며 돔베고기며, 고기국수를 대접해 주셨다. 그러던 어느 날이었다. 고두심 선생님께서 표선의 소박한 해녀 식당에서 스태프 전체 회식을 마련하시더니, 그날 전 스태프에게 각자의 이름을 일일이 부르며 직접 수집한 네잎클로버 잎이 담긴 카드를 선물해 주셨다. 그제야 촬영 때마다 매니저분들과 함께 토끼 풀밭에서 뭔가를 열심히 찾으시던 고두심 선생님이 떠올랐다. 나는 아무리 찾으려 해도 눈에 보이지 않는데 선생님은 어떻게 이렇게나 많이 찾을 수 있냐고 묻자 고두심 선생님은 팁을 알려주셨다. 네잎클로버는 변종이라 어딘가 약간은 이상해 보이는 부분을 잘 들여다보면 그 주변에 행운의 네잎클로버가 있다고. 선생님께 받은 행운에 보답하고 싶어 나도 토끼풀 사이를 가만히 들여다봤다. 진짜 어딘지 모르게 연약해 보이고 이상한 느낌을 주는 잎들이 있었다. 그리고 그 주변에 네잎클로버가 있었다. 그렇게 내 생애 처음 찾은 네잎클로버를 선생님께 선물했다. 제주에서 촬영을 시작할 때 모두가 다치지 않고 무사히 촬영을 마치기를 기원했는데, 우리가 큰 사고 없이 촬영을 끝낼 수 있었던 것은 선생님의 행운의 네잎클로버 때문일지도 모른다.

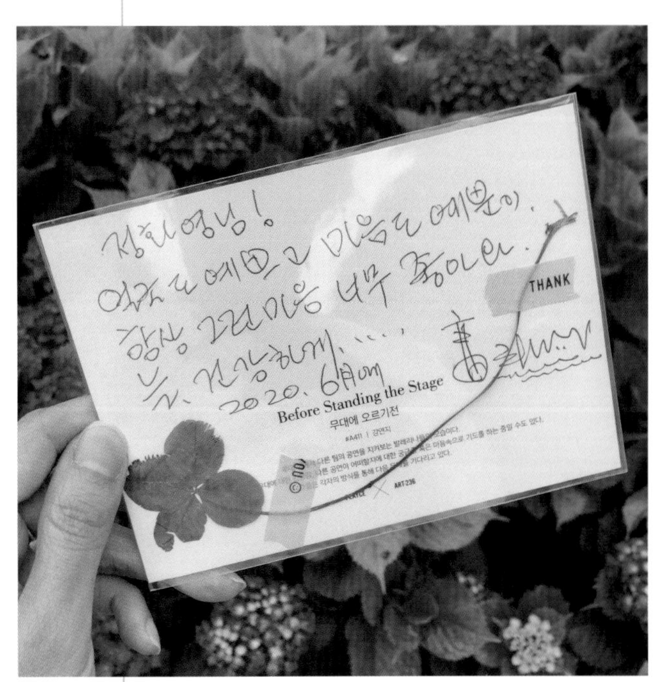

↑ 고두심 배우가 손수 찾은 네잎클로버와 직접 쓴 편지

빛은 잠시 머물다 사라진다

감독, 배우분들, 제작진의 마음과 마음이 만나던 순간을 떠올려 본다. 물빛이 반짝이던 순간이었다. 소준문 감독의 말처럼 '빛은 잠시 머물다 사라진다'. 그렇게 이 영화는 찬란하게 빛나던 순간을 담은 영화로 기억되기를 희망한다. 제작 과정이 쉽지는 않았다. 매일 해 넘어가듯 초심이 사라질 때도 있었다. 그러나 다음 날이면 다시 해가 뜨듯 초심은 어김없이 되살아났다. 물빛에 진주알처럼 빛난다는 바닷속 보말이 생각나서였는지도 모른다. 영화 ‹빛나는 순간›이 제작될 수 있도록 애써주신 모든 분들께 감사의 마음을 전하고 싶다. 특별히 소외된 이야기에 늘 관심 갖고 귀 기울여 주시는 명필름의 이은, 심재명 두 대표님들의 힘으로 영화가 완성될 수 있었다고 말하고 싶다. "감사합니다!"

'그 누구도 모르는, 둘만이 간직한 빛나는 순간'을 담은 이 영화가 많은 사람들에게 사랑받기를 기다리며 제작기를 마친다.

하명미 프로듀서
(제작사 웬에버스튜디오 대표)
‹도르래›(2016) 감독,
‹위험한 상견례›(2011) 각본,
‹슈퍼맨이었던 사나이›(2008) 각색

스태프가 쓰는 이야기

양정훈 촬영감독
홍초롱 조명감독
홍지 미술감독
이은주 의상실장
김주영 분장실장
구세미 인물조감독

양정훈 촬영감독

‹정말 먼 곳›(2021)
‹증발›(2019)
‹장사리:잊혀진 영웅들›(2019)
‹성실한 나라의 앨리스›(2014)
‹지슬›(2012)

‹빛나는 순간›을 준비하면서, 두 가지 부분을 지키려고 노력했다. 먼저, 너무 아름답지만 외적인 제주의 풍경에 이야기가 지배되지 않았으면 좋겠다고 생각했다. 이 이야기와 진옥과 경훈의 감정이 주가 되어야 하기 때문에, 풍경에 압도되지 않길 바랐다. 그 대신 화면을 타이트하게 잡아서, 두 배우의 미묘한 표정 변화 하나까지 놓치지 않고 카메라에 담으려고 노력했다. 클로즈업 방식을 통해 배우들의 감정이 관객들에게 고스란히 전해지길 바랐다. 또 한 가지 중점에 둔 부분은, 특화된 지역을 찍을 때 항상 고민하는 점인데, 그 지역에 계신 분들이 영화를 봤을 때 이질감이 없게 느껴져야 한다는 점이다. ‹빛나는 순간›이 제주 올로케이션으로 찍은 영화인 만큼, 그 부분을 놓치지 않기 위해 노력했다. 그래서 실제 해녀 분들의 이야기를 많이 들었다. 고두심 선생님께서 제주 출신이기 때문에 선생님을 통해서 자연스럽게 해소된 부분들이 있다. 선생님께서 제 고민들을 많이 덜어주신 것 같다.

이 영화를 보실 관객분들께 꼭 드리고 싶은 말이 있다. 어떻게 보면 이 이야기가 상식적으로 힘들 수도 있지만, 결국은 사랑 이야기라고 생각한다. 사랑의 종류라는 것은 다양한데, 내가 편견에 얽매여 있진 않았나라는 생각이 들었다. 관객분들도 영화를 있는 그대로 봐주시면 '이런 사랑도 있구나'라고 느끼시지 않을까 생각한다.

홍초롱 조명감독
‹정말 먼 곳›(2021)

양정훈 촬영감독이 제안을 주셔서 합류하게 됐다. '제주 해녀와 그를 취재하러 간 PD의 사랑 이야기'라는 짧은 한 줄 스토리만 듣고도 굉장히 매력적으로 느껴졌다. 그래서 양정훈 촬영감독에게 "전 너무 좋아요!"라고 말했던 기억이 난다. 이 영화가 흔한 소재는 아니지만, 어떻게 보면 순수한 멜로로 그려질 수도 있겠다는 생각이 들었고, 시나리오가 어떻게 나올지 궁금했다. 시나리오를 처음 읽었을 때, 제주의 숲에 대한 이야기가 많았다. 보통 제주하면 제주 바다, 바람, 돌을 떠올리는데 ‹빛나는 순간›은 제주의 숲에 시선을 돌렸고, 전체적으로 초록색을 중요한 컬러로 사용했다. 영화를 준비하면서 제주의 숲, 제주의 초록색에 대한 고민들을 많이 하게 되었다.

제주라는 특별한 장소, 제주의 숲이라는 공간에서의 촬영은 정말 흥미로웠다. 그리고 빛에 대한 묘사도 많았다. 날것처럼 해가 바로 닿는 듯한 느낌들. 그런 묘사들을 보면서 이 빛들을 최대한 살려서 가고 싶다는 생각을 했다. 쨍하게 보이더라도 그 빛들을 그대로 가져가기 위해 노력했다. 빛의 질감을 살릴 수 있는 방향으로 가되, 기술적인 효과들은 최대한 자제하려고 노력했다. 평범한 멜로의 장르이기 때문에 기술적인 부분에 힘을 빼고, 최대한 노멀한 컨셉으로 가기 위해 노력했다. 변수도 있었다. 바로 제주의 날씨였다. 제주의 날씨는 분 단위로 변한다. 촬영 준비 과정에서 '어떻게든 컨트롤할 수 있지 않을까'라는 생각을 했지만, 막상 닥쳐 보니 정말 감당하기 힘든 순간들이 있었다. 바람이 너무 쎄서 장비 자체를 쓸 수 없는 상황들이 많았다. 결국 그 순간의 밸런스에 중점을 두기로 결정했다. 최대한 제주 날씨와 밸런스를 맞춰 가면서 촬영을 했다.

홍지 미술감독

〈여곡성〉(2018)
〈채비〉(2017)
〈뫼비우스〉(2013)
〈무서운 이야기〉(2012)
〈똥파리〉(2008)

이 이야기를 감독님께서 어떻게 표현하실까? 그 부분이 제일 궁금했다. 어떻게 보면 일반적 형태가 아닌 사랑 이야기를 다루고 있기 때문에 어떻게 표현될지 궁금했다. 영화의 전체적인 컨셉은 부조화 속의 조화다. 도심과 촌, 바다와 숲, 나이 든 여자와 젊은 남자. 이 모든 것들이 지리적으로, 환경적으로 반대적이고 이질적이지만, 그 부분들이 서로 어우러지는 순간들이 있다. 그 순간을 자연스럽게 보일 수 있도록 컨셉을 잡았다.

왼쪽부터 홍지 미술감독, 배우 고두심, 미술팀 도연주, 미술팀 손소일 팀장

이은주 의상실장

‹나만 없어 고양이›(2019)

진옥은 의상에 신경을 많이 썼다. 진옥은 겉으론 강하지만, 속은 소녀 같은 감성을 갖고 있는 인물이다. 그래서 평상시 입는 의상들에 꽃무늬 패턴을 많이 활용했다. 영화의 주요 배경이 되는 숲과 바다에 어울리는 색감들을 중점에 두었고, 실제 해녀 삼춘들과 있어도 어색하지 않도록 톤을 조정했다. 경훈은 꾸민 듯, 꾸미지 않은 서울에서 내려온 외지인의 모습을 살리고 싶었다. 해녀 삼춘들은 따로 컨셉을 잡지 않았다. 해녀 삼춘들 그 자체가 컨셉이 된다고 판단해서, 최대한 자연스럽게 보이도록 설정했다.

김주영 분장실장

‹로마의 휴일›(2017)
‹비정규직 특수요원›(2016)

제주 해녀의 삶과 아름다운 사랑 이야기에 매력을 느꼈다. 아름다운 제주에서 올로케이션으로 촬영한다는 자체도 정말 좋았다. ‹빛나는 순간›의 분장 컨셉은 최대한 자연스럽게 느껴지도록 하는 것이었다. 현지 해녀들과 배우들이 함께 등장해도 이질감 없이 느껴지길 바랐다. 제주 최고의 해녀 진옥은 특히 제주 해녀들과 가장 비슷하고 리얼하게 느껴지길 바랐다. 고두심 선생님은 하얀 피부에 잡티도 없는 얼굴인데, 그을린 피부를 만들기 위해 두 톤 어두운 메이크업을 했고, 기미와 검버섯 같은 잡티를 일부러 그려 넣었다. 심지어 몸 부위도 햇볕에 그을린 모습을 표현하기 위해 어둡게 칠해야 했다. 경훈은 헤어 컬러도 밝게 하고, 웨이브도 많이 넣어서 외지인이라는 느낌을 주고 싶었다. 내면의 아픔을 지닌 인물이기 때문에 앞머리로 살짝 눈을 가릴 듯 말 듯 보여주면서 묘한 느낌을 표현하고 싶었다. 경훈은 처음엔 하얀 피부였지만, 제주 해녀들과 함께 생활하면서 점점 햇볕에 그을려 간다. 자세히 보시면 변화하는 과정을 볼 수 있을 것이다. 마을 계장인 영덕은 실제 제주도민이기 때문에, 본래 이미지를 그대로 살려냈다. 피부 표현, 수염 등 자연스럽게 현지인의 느낌이 묻어난 것 같다. 영덕의 딸인 설희는 서울에서 일을 하다가 제주도에 내려온 인물이다. 너무 현지인처럼 보이지 않도록 하기 위해 노력했다.

구세미 인물조감독

‹벌새›(2019) 스크립터

촬영 현장은 늘 제주 음식들로 풍성한 현장이었다. 고두심 선생님께서 떡을 좋아하셔서, 거의 매 촬영마다 떡을 사서 나눠주셨다. 덕분에 제주 송편, 빙떡 등 제주의 다양한 떡을 먹어볼 수 있었다. 그뿐만 아니라, 촬영이 없는 날에도 지친 스태프들을 위해 전복죽, 해물탕 등 맛있는 음식들을 사주셨다. 선생님의 따뜻한 배려가 아직도 기억에 남는다. 지현우 배우는 모든 일에 진심을 다해 열심히 하는 배우다. 경훈이라는 인물이 되기 위해 캐릭터에 대한 연구를 멈추지 않았다. 그래서 카메라가 없어도 경훈과 비슷한 느낌을 받을 때가 많았다. 그는 제주 촬영 기간 동안에는 매니저 없이 혼자 촬영장을 다녔는데, 힘든 일정에도 불구하고, 선생님과 스태프들을 항상 먼저 배려해 주고, 이해해 주셨다. 정말 마음이 따뜻한 사람이라는 걸 느꼈다.

포토 코멘터리

S#1
제주 최고의 해녀 진옥

소준문 감독

육지에선 해녀복 구하기가 어려워 의상팀이 직접 제주 여러 곳을 돌아다니며 어렵게 준비했다. 소품용 사진 촬영 때, 처음으로 고두심 선생님께서 해녀복 입은 모습을 보게 되었는데, 그야말로 진옥 그 자체였다. 그 아름다움에 감탄이 절로 나왔다. 영화를 준비하면서 알게 된 사실 하나. 우리가 흔히 해녀복 하면 검은색 고무 슈트로만 생각해서 무채색에 단조롭다고 느끼곤 하는데, 자세히 들여다보면 다양한 컬러들이 여기저기 숨어있다. 작업용 장갑의 노란색, 수경의 분홍색, 테왁의 주황색 그리고 알록달록한 양말의 색깔, 덧옷의 화려한 꽃무늬 등등. 해녀 삼춘들은 바다의 패셔니스타다. ‹빛나는 순간›에서도 그 디테일들을 잘 살려서 진옥에게 잘 녹아들 수 있게 노력했고, 고두심 선생님 또한 잘 소화해 주셨다.

분장팀

고두심 선생님이 물속에서 물질을 하고 나오실 때면, 메이크업이 지워져서 하얀 피부가 되곤 하셨다. 그때마다 다시 피부를 어둡게 메이크업을 해야 했다. 매번 메이크업을 새로 하는 게 힘드셨을 텐데, 선생님께서는 "내 얼굴에 된장을 언제까지 발라야 하니"라는 농담을 건네시며 현장의 분위기를 즐겁게 만들어주셨다.

의상팀

해녀복을 제작하기 위해서 제주에 가서 여러 곳을 알아봤다. 제주의 모든 오일장을 둘러보기도 했다. 그러던 중 해녀복계의 장인 분을 만나게 되어 많은 조언과 도움을 받았다. 배우들도, 의상팀도 해녀복은 처음이어서, 처음에는 해녀복 착용에 30분 정도 소요되었다. 촬영 회차가 늘어날수록 배우들도, 의상팀도 점점 스킬이 생겨서, 빠른 시간 안에 해녀복을 입을 수 있게 되었다.

S#2
진옥의 집

소준문 감독

진옥의 집은 내가 가장 좋아하는 공간이다. 돌담이 있는 올레길을 걸어 들어가면 고목과 함께 딱 집 한 채가 자리 잡고 있다. 이런 지형적인 특성이 진옥의 내면과 닮았다고 느꼈다. 게다가 실제로 그 집에는 제작팀이 영화의 레퍼런스로 찾아봤던 해녀 다큐멘터리의 주인공이 살고 있었다. 다들 연예인을 만난 것처럼 신기해했던 기억이 새록새록 떠오른다.

조명팀

그 자체로 풍부한 색감을 가지고 있던 공간이었다. 내부는 진옥의 방과 장수의 방, 두 공간이 있었다. 한집에 있는 공간이었지만 진옥의 방은 빛이 더 풍부하기를 바랐다. 풍부하고 부드러운 빛으로 진옥이 본래 지닌 따스함이 충분히 배어 나왔으면 했다. 반면 장수의 방은 빛이 들지만 전체적으로 톤이 어둡다. 그 어두움은 진옥이 극 후반 장수에 대한 감정으로 고민할 때 진옥의 방을 제외한 현관 마루까지도 침범하는데, 여전히 따뜻한 진옥의 방과는 시각적으로도 대비되기를 원했다. 기본적으로 일광이 풍부하게 드는 집이었기에 창으로 크게 드는 빛들을 조절해 신에 맞게 맞춰 나갔다.

미술팀

진옥의 집은 그의 현실적인 삶의 공간이고, 내면의 이름이 고스란히 담겨있는 공간이다. 진옥의 순수한 감정들이 드러날 수 있길 바랐다. 바닷속의 꽃이라고 할 수 있는 해조들의 색깔을 사용해서, 진옥의 방을 채워나갔다. 진옥의 집 외부 벽부터 시작해 집 안의 장판, 커튼 등을 모두 새롭게 세팅했다. 꽃이라곤 찾아볼 수 없는 평범한 집이었지만, 진옥의 컬러에 맞는 꽃까지 하나하나 심으며 진옥의 공간을 만들어나갔다.

S#3
해녀작업장 그리고 제주 삼달리 마을 해녀들

소준문 감독

삼달리 마을과 해녀작업장은 영화의 주된 공간이다. 처음에는 제주 서쪽의 용수리 마을에서 촬영하려고 했다. 하지만 촬영 조건이 좋지 않아, 다른 곳을 섭외하던 중 물빛이 가장 아름답다는 삼달리 마을을 추천받아 최종 선택을 했다. 해안 가까이에 있는 해녀작업장도 마음에 들었고, 무엇보다 개발되지 않은 순수한 풍경들이 마음에 들었다. 그리고 빼놓을 수 없는 한 가지는 삼달리 마을 해녀분들. 혹시 영화를 촬영하러 온 '육지것들'을 경계하시진 않으실까, 마을을 어지럽힌다고 호통을 치시진 않으실까 노심초사했는데, 어찌나 정감 넘치게 우리를 환대해 주셨는지. 보조 출연도 자청해 주신 덕분에 정말 즐겁게 촬영했다. ‹빛나는 순간›을 더욱 빛나게 해주신 삼달리 마을 분들께 이 자리를 빌려 감사의 마음을 전하고 싶다.

연출팀

제주 배우들과 실제 제주 해녀분들이 함께 할 때면 평상시에도 제주 방언으로 대화를 하신다. 덕분에 제주 방언을 듣고, 말하는 실력이 늘었다. 초반에는 해녀 삼춘들에게 영화의 장면에 대해 설명을 해야 하는데, 삼춘들의 방언을 알아듣지 못해서 힘들었다. 촬영을 할수록 점점 방언을 듣는 귀가 열려서, 나중에는 감으로도 알아들을 수 있을 정도가 되었다.

미술팀

해녀작업장은 어머니를 상징하는 공간이다. 해녀들의 여성으로서의 순수함, 풋풋함을 보여줄 수 있는 공간으로 상징적인 의미를 주고 싶었다. 소녀의 순수함을 상징할 수 있는 컬러들, 분홍색과 보라색, 해조류의 초록색을 사용했다. 패턴은 화려한 꽃무늬들을 사용해, 진옥을 비롯한 해녀들이 소녀처럼 보이게 만들고 싶었다. 해녀들이 웃고 떠드는 모습이 마치 소녀들의 순수한 수다의 현장처럼 보이길 바랐다.

촬영장소 – 북촌리 유채꽃 밭

28	유채꽃 밭 , 오후	M	L	cut	page
	유채꽃밭에 마음을 정리하는 경훈. 무언가를 떠올린다.		맑음	2	1/1

빛나는 순간

1

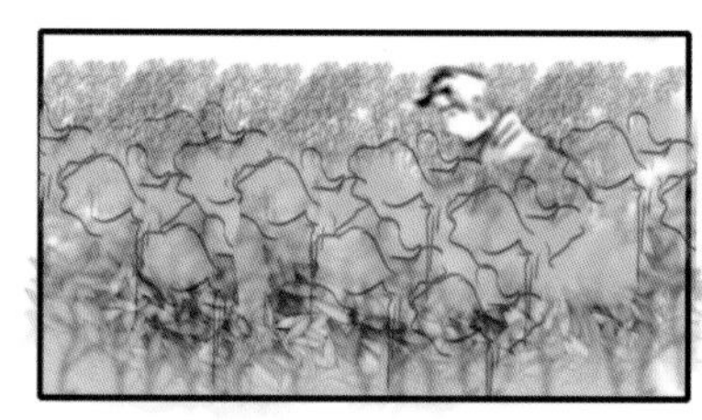

흐드러지게 핀 유채꽃 사이로 보이는 경훈의 실루엣.

드넓은 유채꽃밭 한가운데 서 있는 경훈.
멍한 눈동자와 무표정한 얼굴.
가만히 유채꽃을 어루만지는데,
눈빛이 아련해진다.

2

바람에 우수수 부서지는 유채꽃들.
표정이 차츰차츰 풀어지며 무언가를 떠올리는 경훈. 마음이 조금씩 일렁인다.

소준문 감독

경훈에게 유채꽃의 노란색은 그의 마음을 대변하는 컬러로 시나리오 때부터 정해 놓았다. 노란색은 우리에게 그리움의 색이기 때문에, 경훈이 가진 그리움이 유채꽃의 색감으로 잘 드러나길 바랐다. 경훈이 겪은 상실감이 우리가 겪었던 '4월'의 지워지지 않는 아픔이었다는 것을 명확히 드러내진 않았지만, 이미지로 느껴지길 바랐다. 유채꽃이 다 진 시기에 촬영을 해서 장소를 찾는데 어려움이 있었으나, 제작팀의 수고로 아름다운 장면을 찍을 수 있었다. 이 장면은 경훈의 신들 중에서 가장 좋아하는 장면 중에 하나다.

연출팀

영화를 촬영하던 5월은 유채꽃이 피는 시기가 아니었다. 하지만, '경훈'에게 유채꽃은 추억을 가진 꽃이었기 때문에, 제주 곳곳을 다니며 유채꽃밭을 찾아다녀야 했다. 그러던 중, 북촌리라는 마을에서 아직 꽃이 지지 않은 유채꽃밭을 찾게 되었다. 이 날은 ‹빛나는 순간›의 첫 촬영이었고, 무려 첫 번째 신이었다. 북촌리의 꽃밭 덕분에 첫 번째 신을 무사히 마칠 수 있었다.

S#5
경훈의 집

촬영장소 – 북촌리 대상다려마을

77	경훈의 숙소, 오전	D	O	cut	page
	바람이 세차게 불어온다. 경훈 깊은 고민에 빠져있다.	흐린 바람		2	1/1

빛나는 순간

1

바람에 달그락거리며 불안한 창문.
푸른색 커튼이 바람에 세차게 날린다.

2

고민에 빠져있는 경훈.
커튼의 푸른빛이 경훈의 얼굴에 아른거린다.

방 안의 분위기가 흡사 파도가 휘몰아치는 거센 바다 같다.

소준문 감독

경훈의 집은 실제로 내가 제주에서 시나리오를 쓸 때 묵었던 숙소다. 시나리오를 쓰기 위해 제주에 내려와서 느꼈던 외로움과 여러 감정들을 경훈도 느꼈으면 하는 바람이 있었다. 섭외에 조금 어려움이 있었지만, 다행히 그곳에서 촬영하게 되어 감회가 새로웠던 기억이 난다. 해풍을 맞아 허름해진 빌라형 숙소로 영화의 분위기와 잘 맞는 공간이다. 특히 영화감독들의 로망인 돌출형 복도와 그 옆에 솟은 야자수 나무의 조화가 참 마음에 들었다.

프로듀서

경훈의 집은 복도식 소형 아파트로, 아파트 높이만큼 길게 뻗은 야자수 나무 한 그루가 진옥의 마음처럼 산들산들 흔들리는 공간이다. 그 장면의 앵글을 처음 현장에서 확인한 순간, 극장에서 빨리 보고 싶다는 마음이 들 정도로 마음에 들었다. 와이드샷이었음에도 불구하고 경훈의 집 현관문을 조심스럽게 열고 들어서는 진옥의 심정이 그대로 느껴졌기 때문이다. 실제로 경훈의 집은 1층에서 촬영했지만 3층에 위치해 있다는 설정이어서 그 장면을 위해 복도 신은 고층에서 촬영하게 됐다. 다행히도 친한 이웃이 그 아파트에 살고 있었는데 경훈의 옆집이었다. 이웃에게 양해를 구해 그곳을 분장, 의상을 위한 배우 대기실로 이용할 수 있었다. 그리고 3층 복도에서 촬영 허가를 받기 위해 아파트 이사회 회장님에게 협조 요청을 했는데, 지현우 배우의 싸인을 받아주는 조건으로 촬영할 수 있게 되었다. 나는 촬영이 끝난 지금도 종종 친한 이웃집에 놀러 가는데, 옆집에 아직도 경훈이 살고 있는 것만 같다. 괜히 마주칠 것 같은 느낌이랄까? 그만큼 바다를 닮은 경훈의 공간이 정밀하고 사실적이었기 때문이다.

미술팀

경훈은 내면의 아픔이 있는 인물이다. 아직 치유가 되지 않은 상태의 그를 표현하기 위해 그의 공간은 깊은 해저 속 공간으로 설정했다. 작고 어두운 공간에 진옥이 등장하면서 심해의 빛이 한줄기 들어오는 느낌을 주고 싶었다.

조명팀

경훈이 처음 마주한 방이 마치 바닷속을 연상케 하는 느낌이었다면, 진옥을 만나고부터 그 빛이 점차 옅어진다. 미술팀에서 준비한 블루 커튼이 큰 효과를 발휘했지만 거기에 더 짙은 느낌을 주고자 조명기에도 필터를 사용했다. 진옥이 등장할 때는 조명기의 필터를 빼고, 커튼의 색으로만 방 안의 느낌을 살렸다. 진옥이 푸른빛이 도는 방에서 커튼을 여는 순간 공간 전체에 따뜻한 색의 빛이 가득 차는 효과를 내기 위함이었다. 경훈의 방에 대해 기억에 남는 일화가 있다. 경훈의 방을 촬영하기 전날이었다. 미술팀이 세팅하고 있을 때, 조명 세팅을 준비하기 위해 현장을 방문했다. 한창 세팅이 되고 있는 촬영 현장, 그 공간에 지현우 배우가 앉아있었다. 경훈의 공간에서 시나리오를 분석하면서, 벌써 캐릭터에 몰입을 하고 있었다. 진지하게 작품을 대하는 그의 태도에 놀랐고, 그걸 보면서 나도 더 진지하게 해야겠다는 다짐을 하게 되었다.

S#6 어촌계장 영덕과 그의 딸 설희

소준문 감독

어촌계장인 영덕과 설희를 통해 보여주고 싶었던 것은 제주에 살고 있는 사람들의 세대적 변화였다. 영덕은 줄곧 제주 방언을 쓰지만, 설희는 표준어와 방언을 동시에 쓰고, 두 사람의 가치관 또한 다르다. 영덕은 진옥에게 제주에서 평생 같이 지내온 지역적 친구로, 설희는 제주 여성이라는 동질감을 가진 친구로 그려내고 싶었다.

연출팀

전혜진 배우는 이번 영화를 위해 제주 방언을 배웠는데, 기대 이상으로 잘 소화했다. 실제 제주도민인 양정원 배우와의 호흡이 어색하지 않을 정도였다. 양정원 배우는 제주에서 생활을 하면서, 제주에 대해 누구보다 잘 알고 있는 분이다. 그래서 어촌계장 역할에 맞는 의상을 시장에 가서 직접 공수해 오는 열정을 보여주셨다.

S#7
진옥의 인터뷰

소준문 감독

영화에서 가장 아름다운 장면이다. 해녀 영화라고 해서, 영화적 공간을 바다에 한정시키고 싶지 않았다. 제주는 지형적 특성상 바다와 숲이 공존하고 있다. 바다에서 숲으로, 숲에서 바다로 이어지는 아픔의 역사를 간직하고 있다고 생각했다. 그래서 진옥이 자신의 아픔과 슬픔을 고백하는 인터뷰 신을 바다가 아닌 숲으로 설정했다. 또한 제주의 숲인 곶자왈은 꾸미지 않은, 있는 그대로의 아름다움을 간직한 공간이었고, 그 이미지에 대입하여 진옥의 외면과 내면을 그려내고자 했다. 바다의 푸른색이 보이다 숲의 녹색으로 전환되는 순간, 이미지의 변화처럼 인물들의 감정도 변하는 시점을 만들고 싶었다.

프로듀서

서귀포에 위치한 효명사에서 촬영했다. 진옥의 내적 공간에 들어간 듯, 거친 바위들이 무더기로 쌓여있는 마른 내천이 매우 신묘한 공간이었다. 소준문 감독은 헌팅 때부터 진옥의 내면을 닮은 곶자왈을 찾아 여러 곳을 다녔다. 나는 선생님의 연기를 후반작업 때 믹싱실에서 비로소 제대로 보게 되었는데 원테이크로 진행됐음에도 지루할 틈 없이 빠져들게 됐다. 진옥의 아픔이 고스란히 전해지는 이 장면은 수십 번을 봐도 볼 때마다 폭풍 오열하게 된다.

미술팀

진옥이 가장 좋아하는 장소이자, 진옥의 과거를 공유하는 장소다. 곶자왈은 진옥에게는 어린 시절부터 좋아했던 갈망의 장소이기도 하고, 이상적인 공간이기도 하다. 제주의 숲을 제대로 보여줄 수 있는 초록의 싱그러움이 가득한 공간이라, 그 공간을 최대한 살려내고 싶었다. 은밀한 두 사람 사이의 교감이 이뤄질 수 있는 장소로 표현하고 싶었다.

조명팀

곶자왈 숲을 촬영한 날이 제주 촬영 중에 가장 날씨의 축복을 받았던 날이다. 해가 정말 잘 들어왔고, 곶자왈 전체에 색감도 살아났다. 조명으로 색을 더하지 않아도 그 자체가 정말 예쁘게 나왔다. 풍부한 색감만큼 인물도 더 반짝반짝 빛나길 원했다. 스팟 라이트로 햇빛이 직접 닿는 느낌을 주었고, 당일 내리쬐는 햇볕을 그대로 반사시켜 인물 라이트로 사용했다. 진옥에게는 핑크, 경훈에게는 골드라는 고유색감을 컨셉으로 잡았고 인물의 하이라이트 존이나 전체 공간에서도 어렴풋이 묻어 나오게 했다. 미술 감독님께서 촬영이 끝난 후 '우리 영화의 빛나는 순간이 나왔다'는 메시지를 보내주셨다. 메시지를 받고 기분이 정말 좋았고, 날씨가 도와준 덕분에 하고 싶었던 촬영들을 다 할 수 있었던 것에 새삼 감사했다.

분장팀
고두심 선생님이 숲속에서
촬영하던 중에 풀독이 올라서
온몸에 두드러기가 나고
굉장히 고통스러워하셨다.
하지만, 촬영을 끝내야 한다는
사명감으로 약을 드시고
버티시면서 모든 스케줄을
소화하셨다. 그 모습을 보면서
선생님의 열정에 감동했다.

S#8
특이한 게 아닌 특별한 꽃, 상사화

소준문 감독

두 사람의 마음을 이어줄 그 '어떤 것'에 대해 고민하다가 생각해낸 것이 상사화다. 상사화라는 이름처럼 직접적으로 진옥의 사랑을 표현할 수 있고, 영화 속 대사처럼 '둘만이 간직한 짧은 순간'을 표현할 수 있는 아름다운 매개체라고 생각했다. 잎과 꽃이 같은 때 피지 않아 만날 순 없지만, 그럼에도 '꽃'이라는 이름으로 하나가 되는 그 특별함이 꽤 슬프면서 숭고한 아름다움으로 느껴졌다.

잎이 피면 꽃이 지고, 꽃이 피면 잎이 져버리는 슬픈 꽃 상사화. 상사화는 영화의 매우 중요한 메타포가 되는 상징적 꽃이다. 진옥과 경훈이 숲에서 인터뷰를 할 때 처음으로 상사화를 발견하고 꽃의 의미를 알게 된다. 그리고 그 꽃은 두 사람의 관계를 말해준다. 두 사람의 사랑은 이뤄질 수 없는 사랑이라는 암시. 경훈과의 이별을 받아들여야 하는 진옥이 바람에 흔들리는 상사화 옆에서 흐느끼는 장면은 볼 때마다 마음이 아프다. 흔들리는 진옥의 마음을 대변하기 위해 온 숲이 바람에 흔들려야 했는데 그날은, 하필이면 촬영 중 몇 안 되는 바람 한 점 없는 청명한 날이었기 때문이다. 그렇다고 강풍을 기다리기 위해 스케줄을 조정할 수도 없었고, 더구나 그런 날 촬영이 가능하지도 않았다. 나는 그날 아침 소방청에 연락해 헬기를 요청할 생각이었다. 소준문 감독이 원하는 와이드샷을 알기에 아는 소방관에게 연락해서 도움도 청해봤다. 불가능한 일이었다. 최소한 시도는 해봤다는 걸 여기에 말해두고 싶다. 그 장면의 타이트한 샷을 볼 때마다 나는 마음이 아프다. 하지만 소준문 감독과 양정훈 촬영감독은 제한된 여건 안에서 최선을 다해 아름다운 장면을 담아냈다. 그래서 그 장면을 볼 때마다 나는 눈물이 난다.

미술팀

영화의 촬영 시기는 상사화 꽃이 만개하는 시기가 아니었다. 감독님이 원하는 컬러의 상사화를 생화로 구하기는 어려웠다. 아니, 아예 구할 수 없었다. 결국 조화를 사용하기로 결정했는데, 하지만 조화 중에서도 우리가 원하는 모양의 꽃이 없었다. 그래서 다른 종류의 꽃잎과 대를 각각 구입해서, 컬러를 맞추고, 새로운 상사화를 만들어냈다. 비바람이 몰아치는 곳에서 흔들리는 상사화 장면을 촬영하기 위해 파주 명필름 건물 화단에 상사화를 꽂아서 바람 테스트도 직접 했다.

S#9
진옥과 경훈의 빛나는 순간

소준문 감독

텔레비전에서 아이유의 '밤편지'를 양희은 선생님께서 부르는 장면을 보고 바로 시나리오에 진옥이 '밤편지'를 부르는 장면을 써넣었다. 고두심 선생님의 연륜이 묻어있는 목소리에 아름다운 가사가 어우러지니, 너무도 감동적이었다. 실은 고두심 선생님께서 노래를 익히시면서 어려움을 토로하셨다. 나는 선생님께 잘 부르기보단 감성을 더 살리면 좋겠다고 부탁을 드렸다. 촬영 당일, 어둠 속에서 바람과 파도 그리고 지현우 배우의 울음과 뒤섞여 들려오는 고두심 선생님의 '밤편지'는 그야말로 '위로의 순간'이었다

조명팀

조명적인 특수성이 있는 장면은 아니지만, 개인적으로 좋아하는 장면이다. 진옥과 경훈, 두 사람의 감정이 제대로 표현된 장면이라고 생각한다. 이 영화의 순수한 멜로의 느낌이 잘 살아난 장면이라고 생각한다.

촬영팀

진옥과 경훈, 두 사람의 순수하게 서로를 향한 마음이 표정을 통해 보이는 장면이라고 생각한다. 두 배우가 서로를 바라보는 표정이 정말 좋았다.

S#10
하나가 되다

소준문 감독

로케이션 헌팅을 하면서 내가 정말로 맘에 들어 했던 동굴은 한라산 자락에 자리하고 있었다. 내셔널지오그래픽에서나 봤을 법한 정말 멋진 천연 동굴이었지만, 촬영 여건에 맞지 않아 포기했다. 차선책으로 녹차밭 한가운데 있는 지금의 동굴로 확정 지었는데, 동굴 밖의 풍경은 마음에 들었으나 동굴 내부는 휑하니 썩 내키진 않았다. 촬영감독, 조명감독과 의견을 나누던 차, 조명으로 동굴 깊은 곳에 물웅덩이가 있는 설정을 만들면 어떻겠냐는 아이디어가 나왔다. 모두가 숨죽인 가운데, 진옥과 경훈의 키스신이 진행됐다. 고두심 선생님께서 몇십 년 동안 키스신을 찍으신 적이 없으셨다 하여 조금은 걱정도 됐다. 하지만 지현우 배우가 잘 리드해 주었고, 선생님께서도 용기를 내셔서 아름다운 장면을 연출할 수 있었다.

미술팀

진옥과 경훈이 서로의 마음을 확인하게 되는 장소인 이끼 폭포. 이곳에서 두 사람이 내면의 아픔을 들추기도 하고, 서로를 치유해 주기도 하는 공간이라고 생각했다. 대자연의 이미지를 잘 담아낸 공간이라고 생각한다.

조명팀

처음 동굴이라는 공간을 접했을 때 주광 컨셉을 무엇으로 잡을까 많이 고민했다. 두 사람을 연동하는 요소인 물의 느낌과 영화 전반에 깔린 초록의 느낌을 같이 가져가고 싶었다. 동굴 어딘가에 있는 물에서 반사되는 일렁임에 색을 넣기 위해 빛을 받으면 각도에 따라 다채로운 색을 내는 필름지를 사용했다. 거기에 빛을 반사시켜 움직임을 주니 동굴 속이 초록 물결로 가득해졌다. 둘의 감정을 확인하는 중요한 공간이다 보니 리얼리티보다는 영화적 표현에 더 치중했던 공간이다.

S#11 곶자왈 숲, 둘만의 시간

소준문 감독

이 장면을 찍을 때, 정말 빛이 좋았다. 촬영 내내 날씨와 씨름한 터라 걱정을 많이 했는데, 다행이었다. 배우들의 연기도 무척이나 좋았고, 모든 게 완벽했던 날이었다.

조명팀

진옥의 무릎을 베고 누운 경훈이 그를 올려다볼 때, 경훈의 얼굴 위로 빛이 표현되었으면 했다. 그래서 빛이 렌즈 쪽으로 반사되도록 여러 방법으로 애를 썼다. 지현우 배우가 고갯짓을 하는 순간, 그의 얼굴 위로 무지개가 싹 올라왔다. 그때의 분위기와 감정, 컨셉 모든 게 절묘하게 맞아떨어진 순간이라고 생각한다. 이 장면은 ‹빛나는 순간›에서도 유독 화사하고 색감이 예쁘게 나온 장면 중 하나라고 생각한다.

S#12
영화에서 볼 수 없는 컷, 기도바위 신

소준문 감독

원래는 ‹빛나는 순간›의 오프닝 장면이었다. 제주의 바람과 시시각각 변하는 날씨의 정서를 담고 싶었지만, 날씨가 또 속을 썩였다. 그간 세차게 불어왔던 바람은 온데간데없이 사라졌고, 날씨마저 구름 한 점 없이 쾌청했다. 고두심 선생님의 연기는 더할 나위 없이 좋았으나, 날씨의 정서가 제대로 느껴지지 않아 편집을 하면서 최종적으로 삭제했다. 미술팀이 열심히 준비했는데 가장 아쉽고 안타까운 신이 되어 버렸다.

미술팀
영화에서는 편집된 장면 중 하나인 기도바위 신이다. 사실 위치적으로 위험한 공간이었다. 미술팀이 직접 바위 위에 올라가서 나무를 꽂고, 오방천을 매달았다. 세팅하는 스태프들을 보며, 혹시라도 미끄러지지 않을까, 다치진 않을까 조마조마한 마음으로 세팅했던 곳이다.

빛나는 말, 반짝이는 기억

소준문 감독, 배우 고두심, 지현우 인터뷰

Q. 〈빛나는 순간〉을 시작하게 된 계기는 무엇인가요?

A. 워낙 제주라는 공간을 좋아했다. 우연히 제주에 내려갔을 때, 해녀 삼춘을 만나게 되었다. 대부분 해녀를 떠올렸을 때, 어머니나 강인한 여성의 이미지를 떠올린다. 그런데 해녀 삼춘들과 실제로 대화를 해봤더니, TV에서만 봐오던 해녀의 이미지와는 많이 달랐다. 파도와 싸우면서 와일드하실 줄 알았던 해녀분들이 소녀적이고, 섬세하고 풍부한 감정들을 갖고 계셨다. 그런 부분을 보면서 해녀에 대해 매력을 느끼게 되었고, 해녀에 대한 이야기를 해야겠다고 결심했다.

Q. 영화를 연출하면서 중점에 둔 부분이 있다면 무엇인가요?

A. 〈빛나는 순간〉을 준비하면서 제주 해녀 분들을 취재했었다. 그분들의 얘기를 들으면서 든 생각은 제주의 색깔을 확실하게 보여줄 수 있는 영화를 만들고 싶다는 것이었다. 그래서 이 영화의 키워드를 제주라는 공간과 제주를 대표하는 해녀의 이미지로 잡았다. 먼저, 제주의 공간에 집중하고 싶었다. 제주는 산과 바다가 공존한다. 산과 바다는 서로 다른 모습을 하고 있고, 연결될 수 없는 공간이라고 생각했는데, 제주는 두 공간이 함께 있다. 편견도, 경계도 없는 공간. 이런 부분들을 진옥과 경훈의 감정에 대입시켜서 이야기를 풀어내고 싶었다. 나이도, 지역도, 살아온 모습도 다른 두 사람이 서로를 위로하고, 사랑하게 되는 감정들을 편견 없이 아우르고 싶었다. 그런 부분에서 제주는 이 영화에 딱 어울리는 공간이라고 생각했다.

다음은 해녀의 이미지였다. 시나리오 작업을 하면서 해녀에 대한 다큐멘터리를 많이 찾아봤다. '해녀의 위대함'에 대해서 어느 정도 인지하고 있지만, 진짜 해녀의 삶은 상상 이상으로 힘겨워 보였다. 그렇다 해서 그들의 삶이 동정심을 불러일으키고, 안타까운 마음만 들게 하진 않는다. 해녀라는 직업을 갖게 된 운명론적인 지점들, 바다를 떠나선 살 수 없는 해녀의 숙명, 제주라는 척박한 땅에서 자신의 삶을 개척해나가는 강단 있는 모습들. 이 모든 것들이 모여 '고진옥'이라는 인물이 탄생하게 되었다. '고진옥'을 제주 해녀분들의 여러 모습을 대변하는 인물로 그려내고 싶었다.

Q. 전작 ‹알이씨REC›에서는 동성 커플의 사랑 이야기를, ‹연지› ‹올드 랭 사인›에서는 노인이 주인공인 성소수자들의 이야기를 담았고, 이번 ‹빛나는 순간›은 나이 많은 해녀와 젊은 청년의 사랑 이야기를 담고 있는데, 이 영화를 통해 어떤 메시지를 전하고 싶으셨나요?

A. 그동안 사랑의 형태에 대한 영화들을 만들어왔다. 일반적인 사랑의 형태보다는 사회나 우리 시선에서 소외된 사랑에 대해 이야기해왔다. ‹빛나는 순간›도 그 연장선에 있다고 생각한다. 70세 여자와 30대 남자의 사랑 이야기지만, 두 사람의 나이차, 지역차에 대한 편견이 있다고 생각한다. 단순히 두 사람의 사랑에 대한 감정에 방점을 찍는 게 아닌, 세대를 넘어설 수 있는 감정에 대해 얘기하고 싶었다. 어떤 편견이나 선을 긋지 않고, 서로의 감정을 교류하고, 이해할 수 있다면 그게 사랑이라고 생각한다. ‹빛나는 순간›을 통해 사랑에 대한 또 다른 관점을 얘기하고 싶었다.

Q. ‘고진옥’ 역을 맡은 배우 고두심을 캐스팅하게 된 과정과 호흡은 어떠셨나요?

A. 시나리오를 쓸 때부터 고두심 선생님을 생각하면서 썼다. 제주하면 고두심 선생님이 바로 떠오르기도 하고, 선생님의 얼굴에서 제주의 모습이 그려지길 바랐다. 선생님 자체가 제주고, 얼굴이 곧 풍경이라고 생각해서이다. 그래서 이 영화는 고두심 선생님 아니면 못 찍는다고 생각했다. 다행히 선생님께서 시나리오를 보시고, 출연을 결정해 주셔서 정말 감사했다. 고두심 선생님은 열정과 자부심이 대단한 분이다. 자신의 고향인 제주에서 제주 해녀 역할을 맡았다는 사명감으로 촬영에 임하셨다. 거센 파도가 치는 바다 한가운데에도 직접 들어가시고, 수조 세트촬영도 직접 하시고, 스쿠버도 배우실 정도로 열정이 대단했다. 촬영 현장에서도 늘 솔선수범 촬영에 임해주시고, 스태프들을 격려해 주셔서 정말 감사했다.

Q. ‘한경훈’ 역을 맡은 배우 지현우를 캐스팅하게 된 과정과 호흡은 어떠셨나요?

A. ‘진옥’ 보다 ‘경훈’ 역할의 배우를 찾을 때 어려움이 있었다. 젊은 남자가 나이 든 여자를 사랑한다는 상황이 일반적이지 않다 보니, 편견이나 거부감이 들 수 있겠다는 생각이 들었다. 사랑의 나이차에 대한 편견을 깰 수 있는, 깨어 있는 배우를 찾을 수 있을까라는 고민이 있었다. 고민 끝에 지현우 배우에게 시나리오를 건네게 되었다. 그는 이 시나리오를 읽고, 그 감정을 제대로 느껴보고 싶다며 제주로 향했고, 서울에 돌아온 후 ‹빛나는 순간›의 ‘경훈’으로 함께하겠다고 말했다. 지현우 배우는 굉장히 성실하고, 감정에 대해 디테일하다. 이 영화의 감정선이 일반적이지 않기 때문에, 자칫하면 힘들어질 수 있다고 생각한다. 그가 이 캐릭터를 만들어가는 공부를 열심히 해준 덕분에 지금의 ‘경훈’이라는 인물이 탄생할 수 있었던 것 같다.

Q. ‘영덕’ 역을 맡은 배우 양정원, ‘설희’ 역을 맡은 전혜진 배우와의 호흡은 어떠셨나요?

A. 이 영화를 기획하면서 제주 배우들과 함께 작업을 하고 싶다고 생각했다. 제주 방언을 자연스럽게 구사해야 하는데, 제주 사람이 아니면 어려울 수도 있겠다는 생각이 들었다. 그래서 제주 배우 중심으로 섭외하려고 했다. 양정원 배우는 ‹지슬›에도 출연하셨던 가수이자 배우인데, ‘영덕’ 이미지와도 잘 맞고, 제주 방언도 자연스럽게 할 수 있어서 제안을 드렸다. 제주에서 촬영하는 동안 양정원 배우의 도움을 많이 받았다. ‘설희’는 제주에서 태어났지만, 서울에서 일을 하다가 내려온 인물이기 때문에 씩씩하고, 편안한 이미지였으면 했다. 그런 점에서 전혜진 배우가 딱 부합하는 이미지라고 생각이 들었다. 큰 역할은 아니지만, ‘진옥’과 ‘경훈’의 사이에서 감정적인 징검다리가 되는, 이해의 지점에 있는 캐릭터를 잘 소화해 주었다.

Q. 실제 제주 해녀들이 출연하는데, 섭외는 어떻게 진행되었나요?

A. 제주 배우뿐만 아니라, 실제 해녀분들이 직접 나오면 좋겠다는 생각을 했다. 해녀분들을 섭외하고, 촬영하는 데 있어서 공을 많이 들였다.

그분들께서는 단순히 출연료를 드린다고 해서 출연하시는 분들이 아니기 때문이다. 정서적으로 공감대가 형성되어야 소통이 원활하기 때문에 그런 부분에 대해 많은 노력을 했다. 제주 스태프들과 제주 배우분들 덕분에 많은 도움을 받아서 섭외를 할 수 있었다. 영화의 촬영지인 삼달리 마을의 해녀분들께서 촬영에 임해주셨는데, 정말 물심양면으로 도움을 주셨다. 밭일을 하시다가도 촬영을 해야 될 때면 다 제쳐두고 나와주시고, 갓 잡아 온 해산물을 나눠주시는 등 정감 있고 친근하게 대해주셔서, 촬영하는 내내 큰 도움을 받았다.

Q. **촬영 현장에서 고두심, 지현우 배우의 호흡은 어떠셨나요?**

A. 영화 속의 대사들을 제주 방언 그대로 사용했다. 고두심 선생님은 제주 방언으로 말하고, 지현우 배우는 서울 표준어로 말하기 때문에, 그 호흡이 중요했다. 두 사람의 대화가 자연스럽게 녹여질 수 있을까 고민이 들었고, 안정적인 호흡을 위해서 여러 번의 리딩을 진행하기도 했다. 하지만, 촬영에 돌입하면서 걱정이 사라졌다. 두 분은 서로 친구처럼 얘기도 많이 하면서 캐릭터를 구축해나갔다. 제주에서 촬영하면서 변덕스러운 날씨 때문에 힘든 상황이 많았는데, 두 분이 스태프들을 격려하고, 촬영 현장 분위기를 화기애애하게 이끌어주셔서 정말 감사했다.

Q. **영화 속에서 아이유의 '밤편지'라는 노래가 중요하게 사용되는데, 특별한 이유가 있으셨나요?**

A. 시나리오를 개발하면서 하명미 프로듀서가 아이유의 '밤편지'를 영화의 음악으로 써보는 건 어떨지 제안했다. 가사를 천천히 읽어 보니, 그리움에 관한 노래였다. 영화 속 '진옥'과 '경훈' 모두 상실에 대한 그리움을 갖고 있는 사람들이기 때문에, 이 노래가 두 인물의 감정을 대변해 줄 수 있겠다는 생각이 들었다. 그러던 어느 날 우연히 양희은이 부른 '밤편지'를 듣게 되었다. 그 노래를 들은 순간 '아, 이 노래를 100% 써야겠다'라고 생각했다. 아이유가 불렀던 '밤편지'가 '경훈'의 감정을 대변한다면, 양희은이 부른 '밤편지'는 '진옥'을 대변할 수 있겠다고 생각했다. '밤편지'의 가사 중 누군가를 그리워하고, 가슴속에 사랑한다는 말을 담아두고 있다는 이야기가 ‹빛나는 순간›의 감정적인 흐름과 잘 맞는다고 생각했다.

Q. **‹빛나는 순간›이 관객들에게 어떤 영화로 다가가길 바라시나요?**

A. 이 영화는 사랑 이야기이기도 하지만, 다른 세대에 있는 사람들 간의 위로와 치유의 메시지를 담고 있다. 누군가에게 자신의 상처와 슬픔을 공유하고, 서로 위로할 수 있다면 그것 또한 사랑이라고 생각한다. 이 영화를 보고, 관객분들이 또 다른 사랑의 형태에 대해 생각해 볼 수 있는 기회가 되었으면 좋겠다.

고두심 배우

'고진옥' 역

Q. 영화 ‹빛나는 순간›은 어떤 영화인가요?

A. 제주의 삶을 조명한 영화다. 척박한 제주의 치열한 삶 속에서 아름다운 끈을 놓지 않은 사람들의 이야기다.

Q. 영화에 참여하게 된 계기는 무엇인가요?

A. 처음 시나리오를 받았을 때, 제목을 보고 '빛나는 순간'이어서, 어떤 빛나는 순간일까 하는 궁금증이 생겼다. 이 작품이 제주가 배경이고, 제주 해녀들이 숨 쉬는 과정을 다룬 영화다 보니, '내가 적역이다'라고 생각했다. 그래서 이 영화는 운명적으로 내가 해야 한다는 사명감을 갖고 기대 속에서 시작을 했다. 제주에서 태어나고 자라왔기 때문에, 그 어느 배우보다 내가 더 표현을 잘할 수 있지 않을까? 하는 자부심도 있었다. 그런 생각들이 모여 '진옥'이라는 역할을 맡게 되었다.

Q. 제주 최고의 해녀 '진옥'은 어떤 인물인가요?

A. '바다에서 숨 오래 참기'로 기네스북에 등재된 제주 최고의 해녀다. 물질도 성질도 최고이기를 바라는 정열적으로 살아가는 인물이다.

Q. '진옥' 역할을 위해 중점에 둔 부분은 무엇인가요?

A. 제주도라는 지형 자체가 척박하고, 아픔이 큰 곳이다. 그런 곳에서 운명적으로 해녀의 삶을 살아온 분들의 애환. 여자로서 놓을 수 없는 감성의 줄을 끝까지 붙들고 빛나는 순간을 맞이했다는 것. 그 희망의 끈을 놓지 않고 살아낸다는 그 자체에 무게를 두고 연기를 했다.

Q. 해녀 역할을 위해 준비한 점이 있다면 무엇인가요?

A. 수영을 잘 하지 못한다. 영화를 위해서 수영 연습을 많이 했다. 해녀 역할이라 물속에서의 촬영이 많았는데, 물속에 들어가면 몸이 내 마음대로 되지 않는 것이 굉장히 힘들었다. 옛 기억도 도움이 되었다. 어렸을 때부터 해녀 삼춘들을 많이 접해왔다. 해녀 삼춘들이 물질을 하고 나오면 굉장히 배고파한다. 물질 하고 나온 해녀 삼춘들과 고구마, 빵을 뜨겁게 만들어서 함께 먹었던 기억이 있다. 그때 해녀 삼춘들의 표정들을 기억에서 떠올리는 것이 '진옥'을 연기하는 데 많은 도움이 되었던 것 같다.

Q. 물질이라는 게 연습을 많이 하더라도 쉽지 않았을 텐데 어떠셨나요?

A. 이번 영화를 촬영하면서 다시 한번 느낀 것이 해녀분들의 위대함이었다. 거의 두 달을 같이 지내면서 생활하는데, 생과 사를 오고 가는 물질을 생활적으로 매일 한다는 것 자체에 놀라움을 금치 못했다. 그 힘든 일들이 생업이라고 생각하니 그분들의 애환에 가슴이 찡해졌다. 해녀 삼춘들이 따온 해산물들을 보면 감사하는 마음으로 먹었지만, 해녀 삼춘들과 함께 지내고 난 지금은 더 감사하는 마음을 갖게 되었다.

Q. 고향인 제주에서 제주를 대표하는 해녀 '진옥' 역을 맡아, 의미가 남다를 것 같은데 소감이 어떠셨나요?

A. 제주의 역사와 정체성을 대변할 수 있는 작품이라서 최선을 다할 수밖에 없었다. 제주에서 올로케이션으로 영화를 촬영한 자체도 너무 좋았다. 내 입맛에 맞는 맛있는 음식을 많이 먹었고, 여러 가지 좋은 경험을 한 시간들이었다.

Q. 지현우 배우와의 작업 호흡은 어떠셨나요?

A. 처음에는 설레고 떨렸다. 지현우 배우가 감성과 지성, 이성을 확실하게 매듭짓는 사람이라, 별 어려움 없이 영화를 잘 찍을 수 있었고, 호흡도 잘 맞아서 좋았다.

Q. 소준문 감독과의 호흡은 어떠셨나요?

A. 감독님은 굉장히 섬세하고, 부드럽고, 여린 사람이다. 촬영 현장에서 자상하신 모습이 참 좋았다. 덕분에 항상 촬영장의 분위기가 굉장히 좋았다.

Q. 촬영하면서 가장 기억에 남는 장면이 있었나요?

A. 지현우 배우를 물 밖으로 끌고 나오는 장면이 있다. 그게 정말 힘들었다. 물속에서 부력에 의해 사람을 꺼내는 것까진 괜찮았는데, 물 바깥으로 끌고 나오는 게 힘들었다. 물속에서 나와 응급조치를 해야 하는데, 그 신에서 감정 연기하는 데 심혈을 기울였던 것 같다. 숨을 못 쉬던 '경훈'이 인공호흡 끝에 숨을 쉬게 되었을 때 내가 표현한 감정 중에서 안도감이 가장 컸던 기억이 있다. 그래서 그 장면을 보면 나 혼자 웃음이 나온다.

전국민속예술경연대회에서 '해녀놀이'를 공연하는 어린 시절 고두심 배우.
출처: 현용준민속사진집

27-5 해녀놀이에 출연한 고두심 학생
1967년 10월, 부산공설운동장에서 열린 전국민속예술경연대회에서 '해녀놀이'를 공연하자, 사진기자들이 유독 고두심 학생을 뽑아내어 포즈를 취하게 했다. 나도 셔터를 눌렀다. 고두심 학생은 '영감놀이' 경연에도 열연을 하여 대통령상을 받는 데 크게 공헌했다.

27-4 해녀놀이
해녀놀이는 송근우 선생이 각색 · 지도한 무용으로 매년 보조 작품으로 전국민속예술대회에 출연시켜 제주 해녀海女의 민속예술을 전국에 보여 주었다. 그러던 중 1969년 10월 6일, 대구에서 개최된 전국민속예술경연대회에서는 문화공보부장관상을 받는 영광을 얻었다.

Q. 〈빛나는 순간〉이 관객들에게 어떤 영화로 다가가길 바라시나요?

A. 사람이 살면서 인생의 빛나는 순간이 몇 번이나 찾아올까? 관객분들도 마음의 문을 열고, 나의 빛나는 순간은 언제였을까? 나의 빛나는 순간은 언제 또 찾아올까? 이런 기대감과 희망을 항상 마음속에 품고 살았으면 좋겠다. 이 영화를 통해 자신을 돌아보고, 더 사랑하는 계기가 되었으면 좋겠다.

지현우 배우

'한경훈' 역

Q. 영화 ‹빛나는 순간›은 어떤 영화인가요?

A. 사랑에 대해서 깊게 생각해 볼 수 있는 영화라고 생각한다. '진옥'과 '경훈'의 이야기를 통해서 내 인생의 빛나는 순간은 언제인지 다시 한번 생각해 보게 되는 그런 영화다.

Q. 영화에 참여하게 된 계기는 무엇인가요?

A. 시나리오를 읽고, 계속 생각이 났다. '경훈'의 상황에서 충분히 이런 감정을 느낄 수 있겠다, 당연하지라는 생각이 들었다. 시나리오를 보고, '경훈'의 감정을 제대로 느껴보고 싶어서 제주로 달려갔다. 제주에 다녀와서, 이 영화가 누군가에게는 공감이 되고, 위로가 될 수 있지 않을까라는 생각이 들어서 출연을 결심하게 되었다.

Q. 서울에서 온 다큐멘터리 PD '경훈'은 어떤 인물인가요?

A. 제주 최고의 해녀 '진옥'을 취재하러 서울에서 내려온 다큐멘터리 PD이다. 사랑에 대한 아픔을 가지고 있다. 제주에 내려와서 '진옥'을 만나면서부터 그 아픔을 조금씩 치유하게 되는 인물이다.

Q. '경훈' 역할을 위해 중점에 둔 부분은 무엇인가요?

A. '경훈'이라는 사람 그 자체를 표현하려고 노력했다. 로맨스에서 남자 주인공들이 보여주는 멋지고 매력적인 모습이 아니라, 좀 못나 보이기도 하고, 어떻게 보면 찌질해 보일 수도 있는 그런 표정들까지 담아내려고 노력했다. 이번 영화를 통해 나의 민낯을 보여 드린 느낌이 든다. 이 영화를 통해 나 스스로도 배우를 하는 데 있어 한층 더 성장을 하게 된 것 같다.

Q. '경훈' 역을 이해하기 위해, 감독님께서 주신 플레이리스트가 있다고 들었는데, 어떤 음악인가요?

A. 감독님께서 '경훈'의 감정을 이해하는 데 도움이 될만한 음악들을 주셨다. 선우정아의 [도망가자], 조용필의 [걷고 싶다] 이런 음악들을 촬영 현장에서 계속 들어보면서, 노랫말에 '경훈'의 상황을 대입시켜 보기도 하고, 어떤 감정일까 고민을 많이 했다.

Q. **'경훈'의 사랑이 어떻게 보면 쉽지 않은 선택이었을 것 같은데, 어떤 방식으로 캐릭터를 이해하려고 노력했나요?**

A. 실제로 해녀 삼춘들과 함께 가까이 지내면서, 또 다른 감정이 생길 수도 있겠다는 생각을 했다. 나이와 상관없이 사랑은 사랑으로 봐야 된다고 생각한다. 그래서 '경훈'의 선택을 조금이나마 이해할 수 있었다.

Q. **제주에서 올로케이션으로 촬영되었는데, 제주에서의 촬영 소감은 어떠셨나요?**

A. 제주에서 촬영한 그 시간들은 나에게도 빛나는 순간이었다. 제주 해녀 삼춘들의 순박한 모습을 보면서, 오히려 치유가 많이 되었던 시간이었다. 해녀 삼춘들의 순수한 마음과 따뜻한 눈빛들을 많이 받아서, 다시 서울로 올라왔을 때 '경훈'이 성장한 것처럼 나도 성장한 느낌을 받았다. 그리고 제주에 맛있는 음식과 맛집들이 많아서 식단 조절을 하고 있던 나에게는 개인적으로 힘든 시간이었다.

Q. **고두심 배우와의 호흡은 어떠셨나요?**

A. 고두심 선생님의 안정적인 호흡 덕분에, 기존에 연기해왔던 로맨스와는 결이 다른 호흡이 나온 것 같다. 돌아보면 개인적으로 선생님과의 만남이 필요한 시점이었다. 그때 선생님을 만나게 되어서 정말 다행이다. 선생님께서 배려도 많이 해주시고 따뜻하게 대해주셔서, '경훈'이라는 인물을 소화하는 데 도움이 많이 되었다. 촬영하면서 선생님께 정말 많이 배웠고, 의지했다. '선생님'이라는 어려운 느낌보다는, 때로는 친구 같고 때로는 가족 같단 느낌 속에서 촬영을 할 수 있었다. 선생님을 필두로 전혜진, 양정원, 김중기 배우까지 모두가 이 작품을 사랑하고 애정 하는 게 느껴졌다. 함께 영화를 만들어가는 순수함들이 느껴져서 행복했다.

Q. **소준문 감독과의 호흡은 어떠셨나요?**

A. 소준문 감독님은 본인의 색깔이 명확하고 섬세한 한편 거침이 없는 분이다. 그리고 항상 열려있는 분이어서, 촬영 현장에서 많은 이야기를 나누며 장면을 함께 만들어갈 수 있었다. 그래서 나도 항상 답을 정해놓고 촬영장에 가는 게 아니라, 열어놓고 선생님과 감독님과 조율하면서 재미있게 촬영할 수 있었던 것 같다.

Q. **촬영하면서 가장 기억에 남는 장면이 있었나요?**

A. 영화의 마지막 장면을 촬영하기 전 가장 많이 긴장을 했었다. 대사가 없는 장면을 어떻게 표현해야 할까 고민을 많이 했고, 중요한 장면을 잘 연기하고 싶다는 욕심이 생겼다. '경훈'의 입장이라면 어떻게 했을까 고민하며 감독님과도 많은 얘기를 나눴다. 그러다 고두심 선생님을 직접 보고 연기를 해야 감정이 잘 잡힐 것 같다는 생각이 들었다. 그래서 선생님께 부탁을 드렸다. 오른손에는 선생님의 손을 붙잡고, 왼손에는 선생님께서 직접 찾으신 네잎클로버를 꼭 쥐고 '솔직하게 감정을 표현해보자'하는 마음으로 진실되게 연기를 했다. 덕분에 '경훈'의 감정을 제대로 표현할 수 있었다. 또 다른 장면은 마지막 촬영 날 진행된 '진옥'과 '경훈'이 함께 바다에서 수영을 하는 장면이다. 나도 수영을 잘 못하고, 고두심 선생님도 수영을 잘 못하신다. 함께 수영을 하다가, 컷 소리가 나는 순간 선생님께서 '각자 살아남자!' 외치며 혼자 헤엄쳐 가셨다. 바다에 떠 있는데도 그게 너무 웃겼다. 촬영 현장의 모두가 웃으며 촬영을 마무리할 수 있었던 기억에 남는 장면이다.

Q. **‹빛나는 순간›이 관객들에게 어떤 영화로 다가가길 바라시나요?**

A. 관객분들이 이 영화를 마음으로 바라봐 주셨으면 좋겠다. 이성적으로 판단하는 것이 아니라, 한 사람으로서, 주인공들의 마음을 바라봐 주시면 소중한 무언가를 얻을 수 있으실 거라 생각한다.

영화계 내 성희롱 예방을 위한 생활수칙 10

영화계 내 성희롱 예방의 근본적인 방법은 '함께 일하는 동료를 인격적으로 대하는 것'입니다.
동료와 예의를 지키고 나이, 경력, 직급 등 차이가 있어도 인격적으로 대등하다는 생각을 가지고 존중해야 합니다.
기본적인 생활수칙을 함께 지키며 평등한 영화계를 만듭시다.

1 업무와 무관한 외모 평가를 하지 않습니다.

2 촬영장, 단톡방에서 작품 콘텐츠를 벗어난 성적 자료 게시 및 성적 농담을 하지 않습니다.

3 상대에게 동의를 구하지 않은 촬영(휴대폰 사진 포함)을 하지 않습니다.

4 고정된 성역할과 나이를 강조하는 말을 하지 않습니다.

5 회식에서 술은 마시고 싶은 사람만, 적절한 수준으로 마십니다.

6 불필요한 신체접촉을 하지 않습니다.

7 동료의 사생활에 관한 루머를 퍼뜨리지 않습니다.

8 업무에 대한 이야기는 되도록 공적인 장소 또는 개방된 공간에서 합니다.

9 동료에게 사적인 만남을 강요하지 않습니다.

10 성희롱 사건의 대처방법을 미리 알아두고, 주변에 피해자가 있다면 적극적으로 돕습니다.

한국영화성평등센터 든든

성희롱·성폭력 상담 및 신고 1855-0511(내선번호 2) 평일 10:00~17:00(점심시간 12:30~13:30) solido.kr

mm

size. 190mmx260mm
material. paper
free line notebook

S#65. 곶자왈, 정오

소용돌이처럼 둥글게 얽혀있는 덩굴나무 사이를 지나는 진옥과 경훈.
바람에 나무들이 흔들리며 파도 소리를 낸다.
땀에 젖어 드는 진옥의 블라우스.
옅은 숨소리와 풀잎들이 사각대는 소리가 한동안 이어진다.

경훈: 그 상사화 있잖아요.
저는 그 꽃이 세상에서 가장 아름다운 꽃 같아요.

나무들이 갈라진 틈새로 언뜻언뜻 보였다 사라지는 서로의 얼굴.
햇살에 묘한 분위기가 느껴진다.

경훈: 꽃이랑 잎이랑,
그 둘이 만나는 짧지만 빛나는 순간이 있겠다 싶더라구요.
그 누구도 모르는, 둘만이 간직한.
그래서 더 애틋하고. 그래서 더 소중하고.

진옥: 듣고 보니 그러네.
특이한 게 아니라 특별한 거네.

갑자기 걸음을 멈추는 경훈. 진옥 앞으로 다가선다.
진옥의 눈을 바라본다.
흔들리는 진옥과 경훈의 음성. 진옥, 망설이다 돌아서려는데—
진옥의 손을 덥석 잡는 경훈. 두 사람은 어딘가 향한다.

씬60. 경훈의 숙소, 서재

노트북을 펼쳐 찍은 영상을 확인하는 경훈.
화면에 선옥의 모습이 흘러간다.
조용히 서랍에서 무언가를 꺼내는데, 바로 선옥의 젊은 시절 사진이다.
한동안 고민하는 경훈. 촉촉한 눈빛이 가늘게 떨린다.
사진을 어루만지는 경훈의 손. 그 위로 선옥의 인터뷰가 들려온다.

선옥 목소리: 살암시믄 살아지메... 살암시믄 살아지메....
살다보면 살아진다..
해녀들은 가슴 속에 늘 이 말을 품고 살지..
이 한마디에 모든 걸 견딜 수가 있어...
물에서 숨 참는 것도, 사는 것도 전부...
살암시믄 살아지메...

화면 속 선옥의 얼굴. 뺨을 타고 흐르는 눈물이 별처럼 반짝인다.

경훈: (나지막이) 살암시믄... 살아지메 ...

S#71. 곶자왈, 오후

천천히 흘러가는 구름. 바람에 쏴아아- 청록 물결을 치는 나무들.
진옥과 경훈이 그늘 밑에서 바람을 느끼고 있다.
진옥의 무릎에 누워 있는 경훈.
민소매 사이로 보이는 진옥의 검게 짓무른 겨드랑이를 손으로 애잔하게 어루만진다.
고개를 돌려 진옥의 치마 품에 얼굴을 묻는 경훈.

진옥: 서는 나 같은 게 오니 좋아?
고민 안 했어?

경훈: (눈을 감은 채) 당연히 했죠.
근데 삼춘한테서 뭘 좀 봤거든요.

진옥: 뭘 봤는데...?

경훈: (환한 미소) 빛나는 순간이요.

나무 사이로 비집고 들어온 햇살이 진옥의 얼굴을 비추며, 아름답게 만든다. 경훈의 머리카락을 쓸어주는 진옥의 손.
그런데, 경훈의 눈가에 아주 살짝 눈물이 맺힌다.

경훈: 제주도 말로...
당신을 사랑합니다가 뭐예요?

대답없이 경훈의 등을 토닥이는 진옥. 진옥의 표정에 어떤 예감이 스쳐 지나간다. 표정이 사소하게 흔들린다.

S#72. 해녀 바닷가, 오후

멍하니 수평선을 바라보고 있는 진옥.
바다빛이 스며든 얼굴에 근심과 걱정이 가득하다.
이때, 용달차의 크락션을 울리며, 분위기를 깨는 영숙.

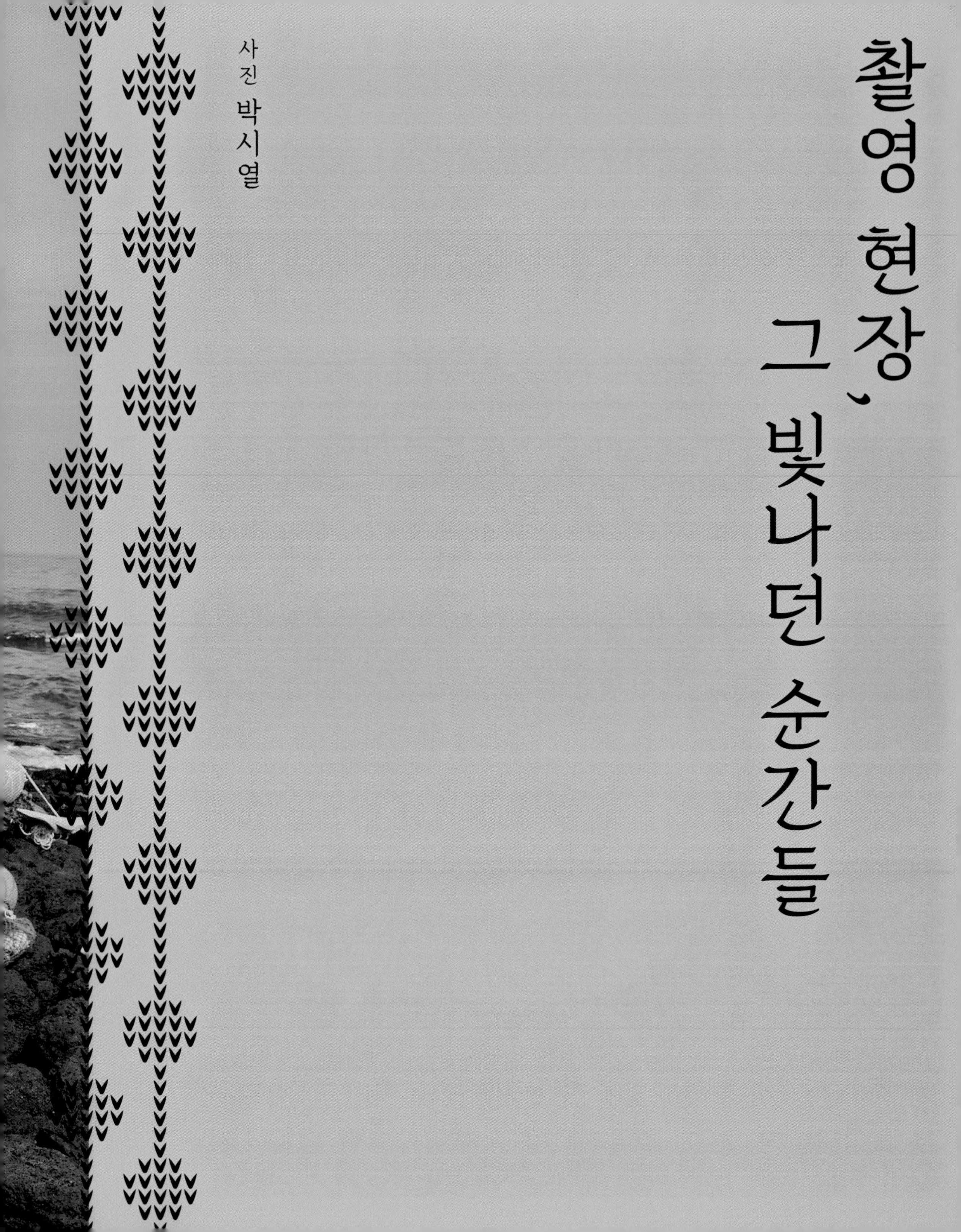

촬영 현장, 그 빛나던 순간들

사진 박시열

You look...
년도 잘 될거야!

KOVEA

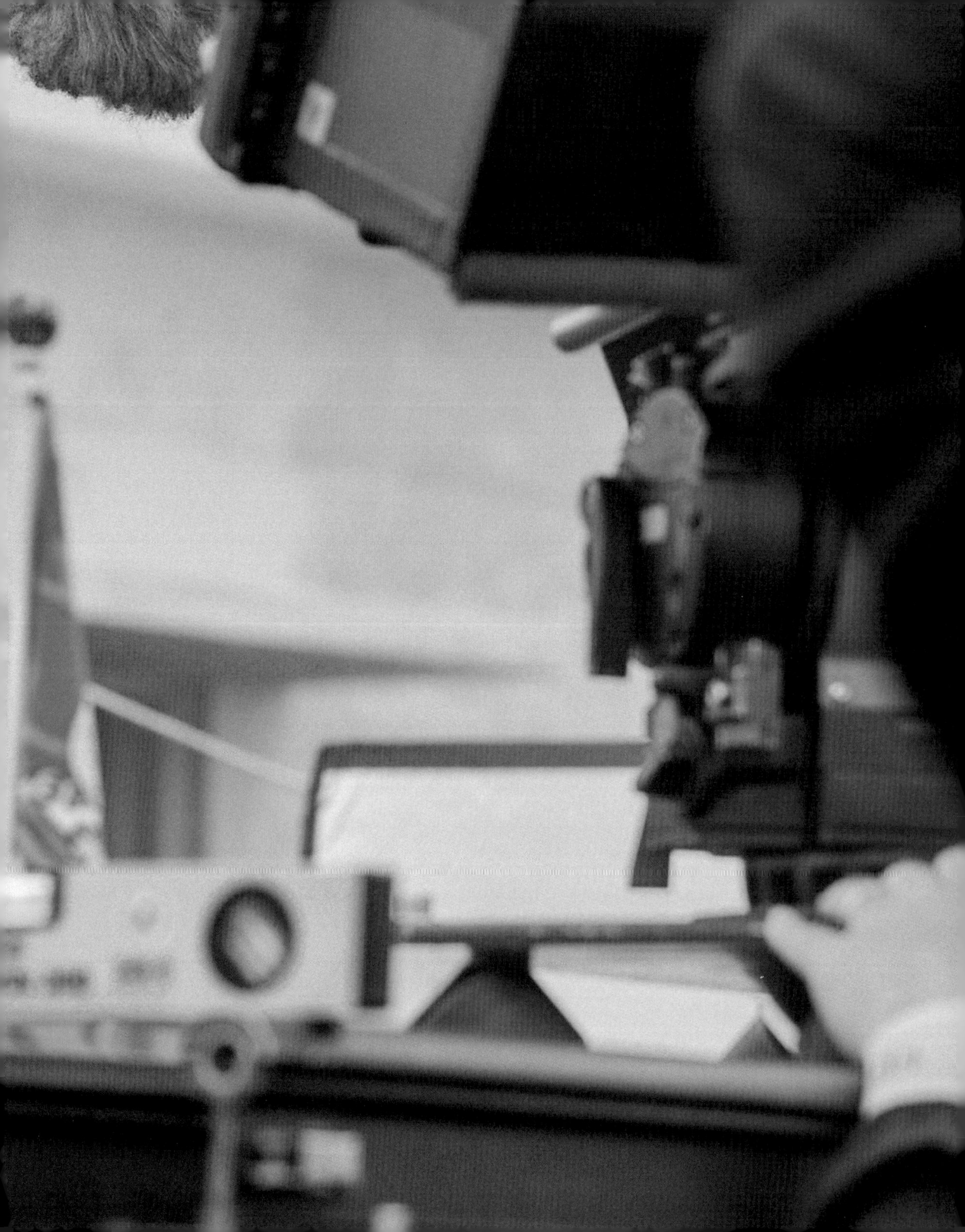

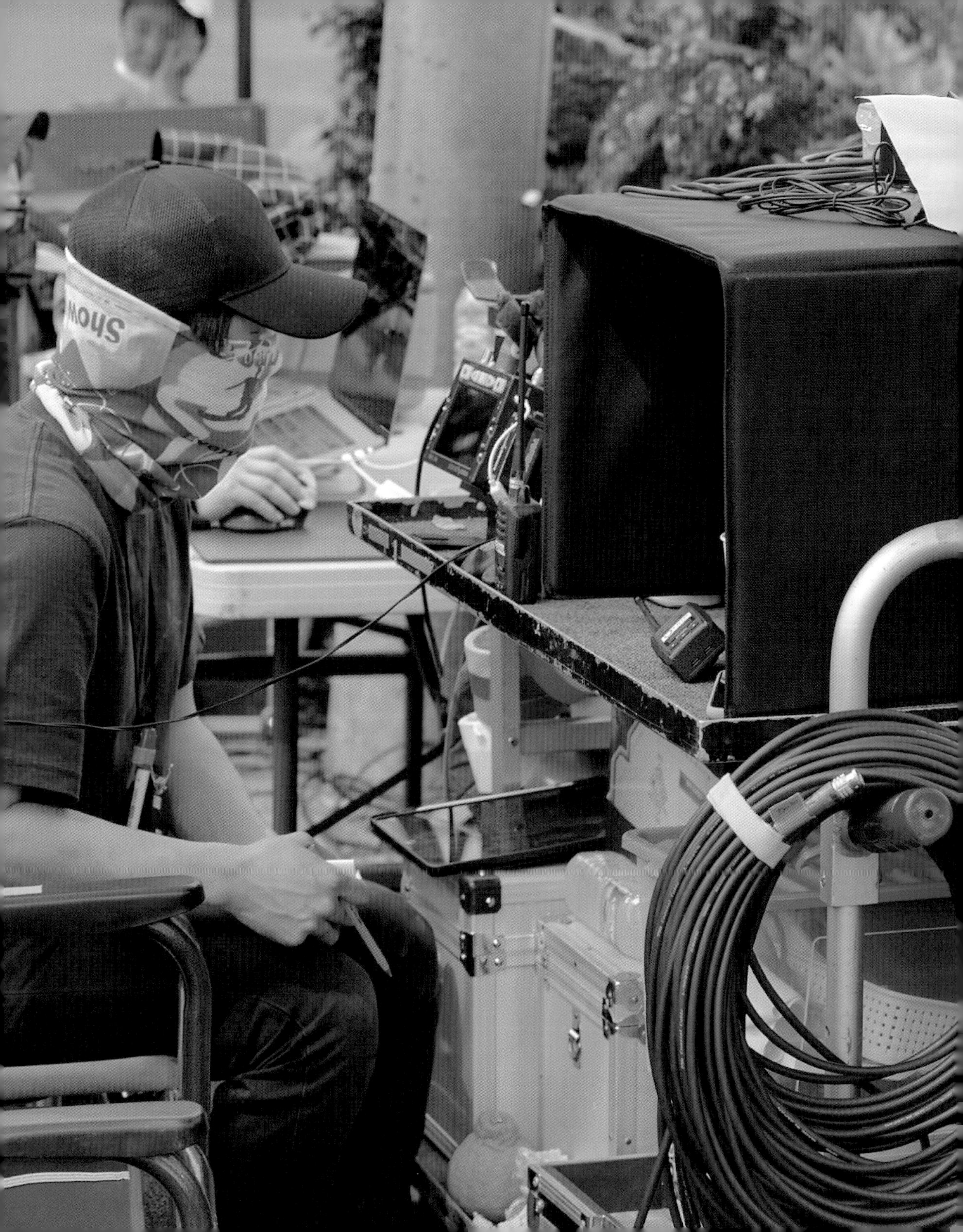

어촌계
성명

CRAFTER

KIA
26호 3099

SONY

133PS CRDi

3

STAR WARS

빛나는 순간

각본/감독
소준문

제작
심재명 이은 하명미

프로듀서
하명미 소윤성

공동제작
서정일

촬영
양정훈 (CGK)

조명
홍초롱

미술
홍지 (레이버이사일)

키그립
김태영 (The Grip)

녹음
김정숙

의상
이은주

분장
김주영

시각효과
이장욱 (Image)
최수진 (MADMAN POST, MINGLE)

사운드
김석원 (BLUECAP)

음악
장영규

색보정
김형희

편집
이연정

조감독
이승원

제작팀장
정일동

캐스팅디렉터
최철웅

제작보
정화영

제작팀
정성민 이상현

현장회계
윤미림

제작회계
김유나 김지수

공동제작보
황순상 김소희

제작보 지원
박여주 공선정
선병남 차단비

연출팀
구세미 장현우

스크립터
조남민

현장편집
서동실

스토리보드
강숙

촬영팀
임지훈 이종빈 이종혁

데이터매니저
김형희

촬영장비
장강석 (서울무비웍스)

조명팀
박서아 신정훈 최현 김현지

발전차
최영철 최동삼 (KS family)

조명장비
장태현 (IL LIGHTING)

미술팀장
손소일

미술팀
도연주 전형태

그립팀장
고상준

그립팀
염성현

붐오퍼레이터
이하은 이가람

의상팀
곽하나

분장팀
권명화

특수촬영
수조세트 수중촬영
김준희 김용희 이정부
여종삼 (SEAFLEX)

안전요원
문헌주 신웅식

제주 수중촬영
김세훈 김기완 백신자
(제주예술)

안전요원
최우혁 (Free Falling)

드론촬영
부신철 (루시미디어)

특수효과
윤대원 (퍼펙트)

작화
스케치
신현아

디자인
일랑

제주어 자문
김기완 정신지 허계생

편집 어시스턴트
이종훈

시각효과
Visual Effects Producer
신영주

FX Supervisor
정주호

CG Supervisor
박준재

Compositing
Supervisor
권오성

3D Animator
이아름

Compositor
김유진 김아류 박경민
윤창석 한훈일

VFX
General Artist
김단이

사운드
Sound Post Production
BLUECAP

Re-recording Mixer
김은정 김석원

Sound Effect
최문현 송정은

Dialogue & ADR
조민경

Foley Artist
최문현 송정은 한가영

Foley Mixer
김은정

Technical Manager
홍윤성

Production Manager
김정민

음악
작곡/연주
장영규 정중엽 김선

출연
고두심
지현우
양정원
전혜진
김중기
안민희
진정아
이영원
이가은

해녀
강부선 송금연 강영란
현우자 최양화 송기생
강영희 채지애 고재순
김복실 오화자 최송자
현순직

빛나는 순간:
영화 편지

초판 1쇄 발행
2021년 6월 8일

기획
심재명 이은

글쓴이
소준문 하명미

인터뷰
김현지 정화영

사진
박시열

도움 주신 분들
고두심 지현우 양정훈 홍초롱
홍지 이은주 김주영 구세미

펴낸이
백준오

편집
임유청

제작진행
이보람 장지선

디자인
유연주

인쇄
다보아이앤씨

펴낸곳
플레인아카이브

출판등록
2017년 3월 30일
제406-2017-000039호

주소
경기도 파주시 회동길 337-16,
302호 (10881)

www.plainarchive.co.kr
cs@plainarchive.com

22,000원
ISBN 979-11-90738-10-1